PIRATAS del CARIBE
EN MAREAS MISTERIOSAS

Copyright © 2011 Disney Enterprises, Inc.
JERRY BRUCKHEIMER FILMSTM y JERRY BRUCKHEIMER FILMS Tree LogoTM
son marcas registradas.

ISBN: 978-84-9951-141-2

Publicado por Libros Disney,
un sello editorial de The Walt Disney Company Iberia, S.L.

c/ José Bardasano Baos, 9 - 28016 MADRID

Impreso en España / Printed in Spain

Depósito Legal: V-1451-2011

Para saber más de *Piratas del Caribe en mareas misteriosas*:
www.disney.es/piratas-del-caribe

PIRATAS del CARIBE
EN MAREAS MISTERIOSAS

Adaptado por James Ponti

Basado en el guión de Ted Elliott & Terry Rossio

Inspirado en la novela de Tim Powers

Basado en los personajes creados

por Ted Elliott & Terry Rossio y Stuart Beattie y Jay Wolpert

Basado en *Piratas del Caribe* de Walt Disney

Producida por Jerry Bruckheimer

Dirigida por Rob Marshall

LIBROS DISNEY

Prólogo

*L*os hombres muertos no cuentan cuentos».

Esa era la advertencia que los piratas hacían a aquellos que surcaban los mares. Pero había un hombre que parecía desafiar esa regla con mucha regularidad. El Capitán Jack Sparrow había sido dado por muerto en más ocasiones de las que él mismo podía recordar. Había sido abandonado en islas desiertas, sentenciado a perpetuidad en el penal de Davy Jones y arrastrado a las profundidades del océano por el sanguinario Kraken. Fue condenado en todas las ocasiones, sin esperanza alguna de salir con vida. Sin embargo, de una forma u otra, siempre conseguía regresar al mundo de los vivos con nuevos relatos de aventuras trepidantes.

Así que puede decirse que, a veces, los difuntos —o al menos aquellos a los que se daba por muertos— sí podían contar cuentos.

Pero ninguno podía igualar esta epopeya en particular: la de aquel marinero español que permaneció perdido en el mar durante doscientos años. Fue rescatado del océano por un pescador en ese peculiar instante de la puesta de sol en que un resplandor anaranjado hace vibrar las aguas del Atlántico...

¡FSSSS! Era el ruido producido por las cuerdas cuando los marineros hacían girar los cabrestantes que izaban los garfios para sacar la red del agua. *¡FSSSS!* En la penumbra del anochecer apenas se percibía forma alguna. Algo había quedado atrapado en la red. *¡FSSSS!* Siguió girando el torno y se dejó ver aquel extraño objeto hasta que se cumplieron los peores presagios. *¡FSSSS!* Entre los peces que trataban de huir se hallaba el cuerpo de un antiguo marinero.

—¡Capitán! —exclamó el marinero—. ¡Capitán!

El capitán llegó en el instante en que el cuerpo sin vida del marinero caía sobre cubierta. Ambos pronunciaron una breve plegaria mientras contemplaban a aquella desgraciada alma descarriada. La ropa del viejo estaba hechas jirones, tenía filamentos de algas enrollados en brazos y piernas, y su larga barba blanca chorreaba agua. Sorprendentemente, sujetaba con su brazo, bien agarrado contra el pecho, un libro. Cuando el capitán se inclinó para cogerlo sucedió algo asombroso.

El marinero abrió los ojos.

A pesar de que apenas podía susurrar algunas palabras entrecortadas, les relató una historia francamente increíble, una historia que, insistía, debía serle transmitida sin tardanza al Rey. Todos accedieron y emprendieron rumbo directamente a la ciudad real de Cádiz, hasta cuyo palacio condujeron al anciano. Como el marinero estaba demasiado débil para caminar tuvieron que transportarlo con la ayuda de una desgastada vela del aparejo del barco.

El Rey Fernando era exactamente lo opuesto del anciano que yacía sobre el suelo de su palacio. El extenuado marinero era sin duda de origen humilde, y su mayor orgullo había sido servir a la Corona. El Rey Fernando, por el contrario, era joven y distinguido, y parecía destinado por voluntad divina a conducir los destinos de los españoles. Pero ahora, gracias a las palabras de aquel hombre, el Rey pensó que tenía a su alcance aquello con lo que sus antepasados solo habían podido soñar: la inmortalidad.

Observó con detenimiento al marinero que prácticamente agonizaba mientras se afanaba por respirar con enorme dificultad, aunque aún conservaba energía para agarrar con fuerza el libro que sostenía en sus manos.

El capitán del barco pesquero habló en primer lugar.

—Creemos que ha encontrado…

El Rey alzó una mano para hacerle callar. Quería escuchar la historia de los labios del marinero. Se arrodilló junto al anciano, que hizo un gran esfuerzo para abrir los ojos.

Con un suspiro que parecía consumir toda su energía, el marinero dijo:

—Ponce de León.

El Rey Fernando asintió y miró por encima de su hombro hacia aquel hombre misterioso con la piel curtida por toda una vida dedicada a bregar con las mareas. Intercambiaron una mirada cómplice, imperceptible por los allí presentes, y el Rey se inclinó de nuevo sobre el viejo marinero. Consiguió desprender el libro de sus manos y comprobó que se trataba del diario de a bordo de *El Santiago*. El Rey ojeó las páginas lentamente.

—Dice que ha encontrado el barco de Ponce de León —explicó el capitán.

—O que él fue uno de sus tripulantes —añadió el pescador.

—No —intervino el capitán, temiendo hacer el ridículo ante el Rey—. Ya te lo he dicho, Ponce de León murió hace doscientos años.

—Pero murió buscando algo —contestó el pescador, dando su brazo a torcer.

El Rey Fernando asintió. Sabía exactamente lo que Ponce de León había buscado cientos de años atrás. Y ahí mismo, en el diario de a bordo del navío, vio un símbolo que sólo podía tener un significado.

—La Fuente de la Juventud —murmuró el Rey.

Una vez cumplida su misión, el marinero esbozó una débil sonrisa y exhaló su último suspiro, abandonándose a una muerte que llevaba mucho tiempo esperándole.

El Rey se incorporó y se volvió hacia el hombre misterioso.

—¿Cuán presto podéis haceros a la mar? —preguntó al tiempo que le hacía entrega del diario de navegación del viejo navío.

El hombre misterioso no dudó un instante antes de responder.

—Con la marea.

Capítulo uno

Date prisa, papá, o nos perderemos la ejecución —exclamó una niña mientras corría por una calle adoquinada atestada por la multitud—. ¡Han atrapado a un pirata de verdad! ¡Quiero verlo!

Y no era la única.

Bajo un plomizo cielo gris una multitud de londinenses se dirigía hacia Old Bailey, o lo que ellos denominaban su tribunal de justicia. Querían asistir al juicio, y probablemente la ejecución en la horca, de un pirata infame. El tribunal estaba abarrotado de público, que abucheó al prisionero mientras el carcelero le sujetaba, con las muñecas y los tobillos esposados, y la cabeza cubierta por una capucha negra.

El alguacil se levantó y leyó los cargos de la acusación.

—¡Comparece hoy ante esta corte el famoso pirata, bandido, saqueador y maleante, Capitán Jack Sparrow!

Al ser pronunciado su nombre, la multitud se enardeció. Jack Sparrow era un hombre muy odiado, con una lamentable reputación en todo Londres. Sin embargo, aunque la mayoría de los asistentes al juicio parecía haber oído alguna historia relacionada con sus múltiples fechorías, al parecer ninguno de ellos le había visto en persona. De esta forma, cuando el carcelero quitó la capucha al prisionero nadie se percató de que se trataba de otra persona.

—¡Le digo que mi nombre es Gibbs! —exclamó el hombre—. ¡Joshamee Gibbs!

Gibbs era pirata, y había navegado muchas veces como contramaestre de Jack Sparrow. Por algún extraño motivo había sido confundido con su capitán, y en ese momento una turba enfurecida pedía su cabeza. Al no poder aportar ninguna prueba para demostrar su versión de los hechos, solo le quedaba confiar en la clemencia del tribunal —posibilidad harto improbable— para evitar la horca.

—Ya te he oído, ya te he oído —prosiguió el alguacil—. Se abre la sesión de este tribunal. Preside las deliberaciones el muy estimado magistrado de South York. ¡Todos en pie ante el Honorable Magistrado de la Corte Suprema de Justicia, juez Smith!

La muchedumbre prorrumpió en exclamaciones cuando el juez entró en la sala ataviado con su toga negra y una gran peluca blanca empolvada. También sostenía un sofisticado pañuelo de encaje justo a la altura de su boca, lo que impedía al público que abarrotaba la sala apreciar claramente su fisonomía.

Apartó el pañuelo lo suficiente para permitir a Joshamee vislumbrar el destello en su mirada y el fulgor del oro en su dentadura. Gibbs le reconoció al instante. Era Jack Sparrow, añadiendo la «suplantación de un juez» a su larga lista de infamias y fechorías.

—¿Jack? —exclamó Gibbs, incrédulo—. El alguacil le hizo callar propinándole un porrazo en la barriga.

—No es necesario —dijo el juez, que en realidad era Jack—. ¿Qué estabais vos diciendo?

—Jack... Sparrow no es mi verdadero nombre —exclamó el prisionero—. Mi nombre es Joshamee Gibbs.

—¿Es eso cierto? —preguntó Jack con una aviesa sonrisa—. Aquí se menciona a un tal Jack Sparrow.

—Yo mismo estaba haciendo averiguaciones sobre el paradero de Jack Sparrow —intentó explicarse Gibbs—. Según mis informaciones, se encuentra en Londres y, si con ello consiguiese resolver mi situación, estaría dispuesto a identificarlo ante este tribunal.

Dirigió una mirada directa a su amigo, y Jack cambió de conversación. Se dirigió al jurado.

—El acusado se declara inocente al no ser Jack Sparrow. ¿Cuál es su veredicto?

El portavoz del jurado no sabía qué decir. Ni siquiera se había celebrado el juicio.

—¡Portavoz! —exclamó enérgicamente Jack—. ¿Cómo lo consideran? ¿Culpable?

—El veredicto de culpabilidad implica su ejecución en la horca —contestó el portavoz.

—Sí —asintió Jack, recibiendo al instante la aprobación general del público.

El portavoz se rascó la cabeza, reacio a pronunciar un veredicto sin que hubiese habido un juicio.

—¿Culpable? —balbuceó.

Hubo una nueva ovación por parte de la muchedumbre.

—Eso no es justo —apuntó Gibbs.

—No es favorable para vos —corrigió Jack—. Pero justo no es lo mismo que favorable. Habéis sido declarado culpable y, por tanto, condenado a la horca.

La multitud rugió como muestra de conformidad, y todos comenzaron a patear las gradas, expectantes ante la previsible ejecución. Jack dio un golpe con su mazo reclamando silencio. Era un maestro del subterfugio y se disponía a hacer buen uso de su habilidad ante el gentío allí reunido.

—¿Qué opináis? —preguntó a la masa—. ¿Queréis que ponga en libertad a este prisionero?

Un coro de protestas y demandas de castigo ejemplar retumbó por toda la sala. Era evidente que el juez estaba equivocado. La turba exigía que el acusado fuese ajusticiado.

—Mi conciencia no me permite dejar en libertad a este hombre —afirmó Jack, continuando con la bufonada—. Joshamee Gibbs, habéis sido declarado culpable de ser inocente de ser Jack Sparrow. Por tanto, le condeno a permanecer en prisión durante el resto de su miserable vida.

Poco a poco la muchedumbre empezó a darse cuenta de que no se iba a producir la esperada ejecución. Jack se dirigió al alguacil.

—Encargaos de trasladar al prisionero a la Torre de Londres.

La gente comenzó a manifestar airadamente su indignación, y algunos llegaron a arrojar frutas podridas y desperdicios. Jack volvió a golpear la mesa con el mazo cuando un zapato voló por encima de su cabeza.

—¡Alto! —ordenó—. ¡Orden, orden, atajo de sinvergüenzas! ¡Restablezcan el orden!

Al salir volando más objetos en su dirección, Jack decidió que había llegado el momento de abandonar el tribunal.

—¡Se suspende la sesión! —anunció propinando un nuevo y enérgico mazazo antes de arrojar él mismo un zapato y otros objetos a la grada.

A continuación se escabulló por la puerta trasera al tiempo que estallaba el alboroto en la sala.

Mientras descendía por la escalinata, el pirata se transformó rápidamente, abandonando su aspecto de honorable juez Smith y adoptando el aire arrogante del Capitán Jack. Se arrancó la peluca y la toga y las introdujo en un armario en el que estaba encerrado el auténtico juez, maniatado y amordazado. Cuando salió al exterior, Jack presentaba su apariencia habitual: botas de marinero hasta la rodilla, fajín listado alrededor de la cintura y un pañuelo ciñéndole la cabeza. Lo único que le faltaba era su tricornio, que él mismo se encargó de recuperar de la cabeza de un caballo enganchado a un carruaje para el transporte de prisioneros. Se trataba del mismo furgón en el que él había ordenado al alguacil que trasladase a Joshamee Gibbs a la Torre de Londres.

Jack hizo un guiño al cochero, quien le devolvió una sonrisa de complicidad. El conductor se inclinó para asir las riendas y dejó al descubierto el tatuaje con las tibias cruzadas y la calavera que lucía en el brazo. Todo estaba resultando tal como había sido planeado.

Jack se dirigió a la parte trasera del vehículo, donde el guardia allí presente le confundió con un prisionero y le introdujo a la fuerza en el mismo, en compañía de su viejo contramaestre.

—¡Fantástico! —exclamó Gibbs cuando vio a su amigo—. Ahora ya somos dos los que vamos a prisión.

En la sonrisa de Jack destelló su diente de oro.

—No hay de qué preocuparse, he sobornado al cochero —aseguró—. Dentro de diez minutos estaremos fuera de la ciudad de Londres y tendremos unos caballos esperándonos. Esta noche alcanzaremos la costa. Allí solo es cuestión de encontrar un barco.

Ahora el que sonreía era Gibbs. El cochero sacudió las riendas, y los caballos tiraron del carro sobre el adoquinado de la calle.

—¿Qué ha sucedido, Gibbs? —preguntó Jack mientras ofrecía una petaca de whisky a su compadre—. Pensé que tenías otro empleo.

—Ya, pero siempre ando al acecho de nuevas informaciones sobre *La Perla Negra* —dijo, al tiempo que daba un trago y devolvía la botella a Jack—. Nadie parece tener la más remota señal del navío. Luego me llegó la noticia de que Jack Sparrow se encontraba en Londres.

—No lo estoy —afirmó Jack, preguntándose de dónde diablos habría surgido ese rumor.

—Pues eso es lo que yo oí —replicó Joshamee—. Jack Sparrow está en Londres con barco propio y reclutando una tripulación. De hecho, esta noche estarás contratando a hombres en una taberna llamada *La hija del capitán*.

—¡No es cierto! —exclamó Jack, sintiéndose cada vez más inquieto.

—A mí me resultó un poco extraño —asintió Gibbs—, pero hay que reconocer que no eres la persona más previsible del mundo.

Jack meditó un instante el asunto.

—La verdad es que Jack Sparrow ha llegado esta misma mañana a la ciudad para rescatar a Joshamee Gibbs de una cita con la horca.

—Lo que yo decía, imprevisible —sonrió Gibbs.

A Jack no le gustaba lo más mínimo la situación.

—Así que al parecer hay otro Jack Sparrow por ahí mancillando mi nombre.

—Un impostor —apostilló Gibbs.

—Así es —contestó Jack, y añadió—: Un impostor con un barco.

Había un brillo en su mirada que Gibbs conocía muy bien. Una vez más, Jack Sparrow era un capitán en busca de un barco, que estaba dispuesto a hacer lo que fuera para conseguir hacerse con uno.

Jack tapó de nuevo la botella con el corcho y la introdujo en el bolsillo interior de su chaqueta. Gibbs pudo observar que allí también ocultaba un mapa enrollado.

—¿Y a ti cómo te va la vida? —le preguntó a Jack—. Lo último que escuché es que estabas empeñado en encontrar la Fuente de la Juventud. ¿Ha habido suerte?

Durante siglos no había existido un objetivo más tentador y más inalcanzable que la misteriosa Fuente.

Jack le dedicó una sonrisa burlona mientras sacaba el mapa para enseñárselo a Gibbs.

—Surgieron complicaciones y las circunstancias aconsejaron un replanteamiento radical que conciliase discreción y valor.

—Es decir, abandonaste la empresa —replicó el contramaestre con una risita irónica.

—En absoluto —aseguró—. Estoy más ilusionado que nunca, surcaré esas aguas. No lo olvides.

Joshamee Gibbs palmeó en el hombro a su amigo.

—Este es el Jack que yo conozco.

Jack asintió con confianza.

—Y no se podrá decir que exista un punto en este mapa que el Capitán Sparrow no pueda encontrar.

Ese era el estilo de Jack, hablar con tanta determinación mientras se hallaba encerrado en la parte trasera de un furgón policial. Lo tenía todo planeado.

O, al menos, eso era lo que él creía. De repente, el furgón se detuvo. Jack frunció el ceño. No era posible que hubiesen salido de Londres tan rápidamente.

—Un corto trayecto —comentó Jack.

La puerta del furgón se abrió. Jack y Gibbs saltaron afuera y comprobaron que se encontraban en el patio del Palacio de St. James, residencia del Rey e, indudablemente, no el lugar al que Jack había planeado dirigirse.

Miraron a su alrededor y observaron que estaban rodeados.

—¿También esto forma parte del plan? —preguntó Joshamee.

Antes de que Jack pudiese contestar, el capitán de la guardia le golpeó en la cabeza con la culata de su arma. Jack se apoyó en los brazos de Gibbs antes de desplomarse en el suelo.

Otro guardia metió de nuevo a Gibbs en el furgón y cerró la puerta con un portazo. Jack, desorientado, vio cómo se alejaba el carromato. Por fin podía contestar a la pregunta de Joshamee, pero era demasiado tarde.

Capítulo dos

Como hombre aficionado a frecuentar tabernas inmundas y mohosos y lóbregos barcos piratas, Jack Sparrow no podía encontrarse más fuera de lugar caminando por los elegantes corredores del Palacio de St. James. Aún así, y a pesar de hallarse bajo custodia de dos guardias y la más que posible amenaza de acabar balanceándose en la horca, no podía evitar relamerse al contemplar tantos tesoros regios al alcance de su mano, listos para ser saqueados.

Siguiendo su tradición, los guardias reales no pronunciaron una sola palabra mientras cumplían con su cometido, lo que impedía a Jack recurrir a su verborrea para intentar salir airoso de la situación. Le introdujeron en un salón decorado con muebles suntuosos, cortinajes de una longitud prodigiosa y una enorme araña de luces en el techo. Le obligaron a sentarse en un pesado sillón de madera y le esposaron a los brazos del mismo. Sabía que de nada servía protestar, así que intentó esbozar una sonrisa que, como era de prever, no produjo ningún efecto en los guardias. Una vez que estuvo sólidamente aprisionado, abandonaron la estancia y cerraron la puerta con llave.

Cuando contempló lo que tenía delante, a Jack se le hizo la boca agua. La estancia estaba presidida por una enorme mesa de comedor en la que había sido desplegada una soberbia selección de los más deliciosos manjares. El simple aroma resultaba embriagador. El único «alimento» que había ingerido en todo el día era el trago de whisky de su petaca, y el estómago de Jack empezó a emitir extraños gemidos. Se afanó para liberarse del sillón.

La mesa se encontraba fuera de su alcance, por lo que intentó desplazar el asiento para aproximarse. Dando brincos logró casi alcanzar su objetivo. Estiró los dedos, retorció el cuello y consiguió prácticamente rozar los alimentos con su boca. Pero seguía estando lejos. Si no lograba acercarse a la comida, pensó, quizá conseguiría que la comida se acercase a él. Se reclinó en el respaldo del sillón y golpeó con sus botas la base de la mesa. Un pastelillo de crema cayó de una bandeja y rodó hacia él. Los ojos de Jack se abrieron como platos. Podía funcionar.

Dio otro puntapié a la mesa y el hojaldre rodó un poquito más cerca. El plan daba resultado. Jack casi podía saborear el pastelillo. Tras otra patada el dulce prácticamente se balanceaba sobre el canto de la mesa. Ahora solo tenía que hacer un pequeño juego de malabarismo.

Jack colocó cuidadosamente la punta de su bota bajo el borde de la mesa y, cuando se disponía a ejecutar su pirueta, las puertas se abrieron de par en par, y entró en la sala una columna de guardias reales. Sorprendido, Jack se inclinó hacia atrás y golpeó con demasiada fuerza. El canutillo de crema salió volando por los aires y fue a aterrizar en medio de la lámpara de araña.

Jack se quedó sentado, con su amor propio herido y su estómago tan vacío como antes. Mientras los guardias permaneciesen en la estancia no había forma de hacer un nuevo intento. A los guardias les siguió una corte de sirvientes y varios consejeros del Rey. La última persona en entrar fue el Rey Jorge en persona. El monarca depositó su amplio trasero sobre un sillón en el extremo opuesto de la mesa y comenzó inmediatamente a devorar los manjares que Jack ansiaba alcanzar. Jack no pudo evitar observar que el solemne héroe militar retratado en un mural de la sala no guardaba mucho parecido con el hombre rollizo que zampaba con ansia al otro lado de la mesa. Como sucede con los piratas, a veces la realidad no se corresponde con la reputación que uno haya podido crearse.

—He oído hablar de vos —comentó el Rey al tiempo que masticaba un grueso pedazo de carne.

Jack no pudo remediar sentirse orgulloso de que el Rey hubiese oído hablar de él.

—Y vos sabéis quién soy yo —añadió el Rey Jorge.

—Vuestra cara me resulta familiar —contestó Jack, con sorna.

El primer ministro del Rey intervino.

—Os encontráis en presencia del Rey Jorge Augusto, duque de Brunswick-Lunenburg, tesorero mayor y príncipe electo del Sacro Imperio Romano, Rey de la Gran Bretaña y de Irlanda —el hombre miró a Jack de arriba abajo y añadió—, y de vos.

—No me suena —sonrió Jack.

El Rey Jorge enarboló un muslo de pavo de un tamaño asombroso.

—He sido informado de que habéis venido a Londres a reclutar una tripulación para vuestro barco.

—Rumores infundados —comentó Jack—. No son ciertos.

Mientras hablaba, Jack hacía entrechocar sus grilletes, produciendo un sonido irritante.

—Tengo la certeza de que eso es lo que me han dicho mis ministros —replicó el Rey sin interrumpir la deglución—. Jack Sparrow ha venido a Londres para enrolar una tripulación.

El Rey dejó de masticar un instante.

—Por tanto, vos me mentisteis cuando me dijisteis que erais Jack Sparrow.

—No, no. Yo soy Jack Sparrow. Y estoy en Londres. Pero no he venido a buscar una tripulación. Debe de tratarse de alguna otra persona.

—Ah —dijo el Rey Jorge, asimilando por fin la explicación. Después se giró hacia sus guardias—. Me habéis traído al sinvergüenza equivocado. Traedme a Jack Sparrow y deshaceos de este impostor.

Dos guardias se acercaron a él y Jack alzó las manos para intentar detenerlos.

—¡Alto! Yo soy Jack Sparrow. El auténtico e inimitable —seguía haciendo chocar sus grilletes cada vez con más fuerza y el ruido estaba sacando de sus casillas al Rey Jorge—. Y estoy en Londres.

—¿Para conseguir una tripulación con la cual emprender una travesía para hallar la Fuente de la Juventud? —preguntó el Rey. Ya no podía soportar más tiempo ese ruido y se volvió hacia la fila de guardias—. Que alguien le quite las cadenas.

Eso era precisamente lo que Jack llevaba rato intentando conseguir.

Un guardia se acercó y le quitó los grilletes. Jack sonrió al verse liberado. Sí, es cierto que aún se encontraba en el centro del palacio real rodeado por guardias armados hasta los dientes, pero para Jack Sparrow esos no eran más que inconvenientes sin importancia. Las cadenas representaban el auténtico obstáculo.

El Rey suspiró hondo y decidió hacer un último intento.

—A riesgo de ser reiterativo... ¿Está Jack Sparrow en Londres reclutando una tripulación para regresar a la Fuente de la Juventud?

—Trato hecho —exclamó Jack, levantándose de la silla. Estaba impaciente por hacerse con alguna porción de comida antes de que el Rey diese buena cuenta de todo.

—¿Tenéis un mapa? —preguntó el Rey.

Jack introdujo la mano en el bolsillo de su casaca, pero, para su sorpresa, el mapa no estaba allí. No tenía claro a dónde había podido ir a parar, pero al mismo tiempo le complacía la idea de que los hombres del Rey no pudieran hacerse con él.

—No —respondió.

—¿Dónde está? —preguntó el primer ministro.

—¿La verdad? Lo he perdido. De hecho, hace muy poco tiempo —hizo un esfuerzo mental para recordar lo sucedido después de que le hubiese enseñado el mapa a Joshamee Gibbs. La única explicación era que quizá Gibbs hubiese conseguido de alguna manera arrebatarle el documento cuando se encontraban en el furgón policial. Por una parte, se sentía decepcionado por el hecho de que Gibbs le hubiese robado algo pero, por la otra, estaba impresionado por su gran habilidad para el hurto.

El Rey Jorge tomó una rebanada de pan de la mesa.

—Dispongo de información de una fuente de confianza. Los españoles han localizado la ubicación de la Fuente de la Juventud —comenzó a desmigajar rabiosamente el trozo de pan—. ¡No me afligiría lo más mínimo que el soberano español alcanzase la vida

eterna! —seguía desmenuzando el panecillo y macha-
cando los pedazos en fragmentos diminutos—. Creo
que he sido suficientemente explícito.

Jack levantó una ceja.

—Sin duda, ha sido una demostración muy explícita.

Mientras el Rey permanecía momentáneamente
ofuscado, el primer ministro dio un paso al frente.

—¿Conocéis la ruta para llegar a la Fuente?

—Por supuesto. ¡Sí! —afirmó Jack.

—¿Y podríais conducir una expedición?

Jack empezaba a ganar aplomo por momentos. De
repente su vida tenía algún valor. Aproximó su silla, se
sentó y apoyó sus botas sobre una esquina de la mesa.

—¿Me proporcionaréis vos el navío y la tripulación? —preguntó con una sonrisa.

—Y un capitán —añadió el Rey.

La sonrisa de Jack se desvaneció. Él era capitán.

—Creemos haber encontrado a la persona adecuada para el puesto —apuntó el ministro.

Hizo una seña a uno de los guardias, que abrió
la puerta. Jack se puso de pie y escuchó el sonido de

pasos aproximándose. En realidad era un paso seguido de un largo sonido chirriante. La secuencia se repitió hasta que el tétrico capitán surgió de la oscuridad, su enorme figura ocupaba todo el vano de la puerta.

Llevaba un sombrero de oficial de la Marina Real, pero combinado con la casaca de un corsario, lo que significaba que era un civil que comandaba un barco con la misma autoridad y poder que si fuese un verdadero oficial de la armada. Se apoyaba sobre una muleta y su pierna derecha era de madera desde la rodilla hacia abajo, lo cual explicaba el chirrido que producía al andar. Aunque la indumentaria y la pata de palo resultaban nuevas para Jack, conocía la cara del individuo desde hacía años. Era la de su eterno rival, Héctor Barbossa.

—¿Por qué no está encadenado? —preguntó Barbossa mientras arrastraba su pata de palo por el salón—. Debe ser esposado inmediatamente.

—¿Hallándose en el centro de mi palacio? —se mofó el Rey con una risotada—. No lo creo.

—Atrapar a Jack Sparrow es tarea fácil —advirtió

Barbossa sin miramientos—. Lo difícil es mantenerlo a buen recaudo.

—Héctor —exclamó Jack en un efusivo arranque de amistad, intentando desviar la conversación del tema de su encadenamiento—. Es un placer observar cómo prospera en su carrera un pirata.

—Corsario —le corrigió Barbossa—. En una misión oficial, bajo la autoridad y la protección de la Corona.

Jack fue directamente al asunto que más le interesaba en ese momento. Quería saber qué había sucedido con el navío que ambos habían capitaneado.

—¿Qué fue de *La Perla*?

—Se perdió —respondió Barbossa con auténtica aflicción en la voz—. Perdí *La Perla Negra*. Perdí mi pierna. Lamento sinceramente ambas cosas.

—¿Perdida? —repitió Jack alzando una ceja.

—Intenté salvarla con todas mis fuerzas, pero se hundió a pesar de todo.

Existía una regla inquebrantable que compartían tanto los piratas como los oficiales de marina. Por tanto, Jack no podía aceptar que el navío que él tanto había amado se hubiese hundido y su capitán no se hubiese ido a las profundidades junto a él. Se encaró con Barbossa, pero dos guardias le retuvieron.

—Si el barco se hubiese perdido con honor —dijo Jack enfrentándose cara a cara con Barbossa—, tú deberías haberte perdido con él.

—Ya —murmuró Héctor—. En un mundo ideal.

Los guardias apuntaban sus fusiles directamente a la cabeza de Jack. Él dio un paso atrás.

—Capitán Barbossa —interrumpió el Rey—. ¿Acaso no ha quedado clara nuestra situación? Cada minuto que perdemos es una ventaja que concedemos a los españoles. Confío plenamente en que logréis prevalecer, y seréis recompensado con los más distinguidos honores y prebendas que deseéis.

Barbossa se giró hacia el Rey y asintió con la cabeza.

Jack no podía dar crédito a lo que veía, un despiadado pirata como Barbossa conversando con un monarca que mordisqueaba un muslo de pavo.

—Señor, habéis tocado fondo —dijo.

Barbossa expresó su desacuerdo con un gesto.

—Jack, tenemos mucha vida por delante. ¿Qué hay de malo en asociarse con el bando vencedor? Menos trabajo, mejor salario. Conoces a personas más agradables, y es decente.

—Pero, Héctor —añadió Jack, reprobando con la cabeza—, el sombrero.

Hizo un gesto hacia el remilgado y ostentoso sombrero que lucía Barbossa y, cuando los guardias se distrajeron, Jack vio la ocasión para ensayar alguna estratagema. Agarró a los guardias y los empujó unos contra otros. Sus rifles se dispararon, y las balas atravesaron la enorme araña del techo. Una soga se desprendió, y la lámpara empezó a balancearse peligrosamente.

En la estancia se desató el caos, y el primer impulso de los guardias fue bloquear las puertas. Pero ese no era el objetivo de Jack. Por el contrario, saltó sobre la mesa, corrió a lo largo de ella y se agarró a la lámpara en una de sus oscilaciones. Sobrevolando las cabezas de los guardias, Jack se impulsó hasta una galería del segundo piso con una magnífica pirueta digna de un atleta. Por si eso no hubiese bastado, también consiguió desprender el pastelillo de crema de la lámpara.

Se introdujo el hojaldre en la boca y le dio un buen bocado al tiempo que desaparecía a través de una ventana del segundo piso. Los guardias no supieron reaccionar, estupefactos ante la arriesgada acrobacia de Jack.

Sin perder un instante, salieron en su persecución, pero era demasiado tarde. Gateó sobre un tejadillo, saltó por encima de la puerta del castillo y se perdió entre el gentío de las calles de Londres.

—¡Ha escapado! —anunció el Rey Jorge, incrédulo pero sin interrumpir su masticación.

En ese preciso instante, la enorme lámpara se desplomó sobre la mesa, y Héctor Barbossa tuvo apenas el tiempo de morderse la lengua para no decir:

—Os lo dije.

En su lugar, tuvo que admitir:

—Jack Sparrow se anota el primer tanto.

Capítulo tres

*J*ack Sparrow no tenía muy buena opinión sobre Londres. Hacía apenas un día que había llegado y ya había podido comprobar cómo el Rey Jorge, su primer ministro, un juez de la corte suprema y una nutrida representación de su población deseaban verlo colgando de una soga. Para más escarnio, pese a haber cosechado una pésima reputación por haber dedicado toda su vida a la piratería, al parecer había un sujeto que se hacía pasar por Jack Sparrow, lo cual no hacía más que complicar la situación.

Por otra parte, hacía un tiempo horrible.

Cuando el plomizo y nuboso cielo de Londres se tornaba en una noche aún más lóbrega y tenebrosa, Jack se encaminó hacia los muelles en busca de una taberna llamada *La hija del capitán*.

Cuando estaban en el furgón, Joshamee Gibbs había mencionado que el impostor Jack Sparrow estaba reclutando su tripulación allí. Al Jack auténtico se le ocurrió que, si se presentaba inesperadamente, podría llegar al fondo del asunto.

La taberna *La hija del capitán* era un local ruidoso y sucio, y en todas partes se percibía un hedor repugnante. Sus clientes eran rufianes, granujas y aspirantes a piratas. Todos ellos parecían dispuestos a enzarzarse en cualquier tipo de pelea por el más insignificante de los motivos. En otras palabras, Jack se sintió como en casa cuando cruzó el umbral. Sin duda alguna, ese lugar era mucho más adecuado para él que el tribunal de Old Bailey o el Palacio de St. James.

Con un vistazo se hizo una idea de la situación, y se fijó en un fila de marineros. Esperaban su turno frente a una puerta que conducía a un almacén de la trastienda de la taberna. La puerta estaba vigilada por un fornido marinero sentado en un taburete, que rasgueaba una mandolina para pasar el rato. Por turnos, hacia pasar al almacén a los aspirantes. Jack se topó con un viejo panzudo amante de la cerveza tibia y le interrogó acerca de lo que se cocía en la trastienda.

—Esos tipos dicen —farfulló el marinero viejo mientras daba un buen trago a su jarra de cerveza—, que tienen un barco y que buscan personal competente.

Jack guiñó el ojo al anciano y se perdió entre los clientes.

El nombre del marinero que tañía la mandolina era Scrum, y la tocaba con bastante maestría. Acababa de ejecutar una melodía con especial virtuosismo y consideraba que se merecía un humilde aplauso de la hilera de marineros. En su lugar, recibió como premio la presión de un cuchillo sobre su garganta.

Jack se acercó por la espalda empuñando su cuchillo y amenazó con clavárselo en la nuez al jovenzuelo.

—Tengo entendido que estáis contratando una tripulación —le susurró Jack al oído.

—Sí —murmuró Scrum, intentando que su nuez se moviese lo menos posible mientras hablaba—. Se trata de Jack Sparrow, está organizando una pequeña empresa.

—¿No sabes quién soy? —preguntó Jack.

Scrum dejó escapar una risita nerviosa.

—¡Eh! ¡Este tipo ha olvidado su nombre!

En ese instante se abrió la puerta del almacén y apareció un pirata corpulento luciendo una radiante sonrisa. Acababa de enrolarse con el que creía que era el famoso Capitán Jack Sparrow.

—¡Lo he conseguido! —gritó a los que seguían en la fila—. ¿Quién invita a una copa a este marinero?

Los piratas que esperaban su turno le felicitaron y le dieron palmadas en el hombro.

Jack aprovechó para echar un vistazo a través de la puerta y observó una sombra sobre la pared del fondo. No podía dar crédito, la sombra que se reflejaba sobre el muro correspondía exactamente a su propia sombra.

Esquivando a Scrum, entró en la habitación, y lo que allí vio le pareció increíble. ¡Se encontraba frente a frente con el mismo Jack Sparrow! O, al menos, con alguien que era la viva imagen de Jack Sparrow, con la misma indumentaria, el mismo corte de pelo a cuchillo y la misma fanfarronería. Era como si se estuviese reflejando en un espejo, aunque la cara del impostor permanecía en la sombra.

—Me has robado —exclamó el verdadero Jack con rabia, desenvainando su espada—. Y estoy aquí para recuperar mi identidad.

El falso Sparrow actuó de la misma forma, y en cuestión de segundos se encontró en la incómoda situación de enfrentarse consigo mismo en un combate de esgrima. Lo peor de todo era que, además de tener su misma apariencia, el impostor manejaba la espada igual que él. Se batieron estocada tras estocada, mandoble tras mandoble. Incluso su juego de piernas era idéntico.

—¡Deja de hacer eso! —exclamó Jack.

En el almacén no se escuchaba más sonido que el de los sables entrechocando mientras los adversarios escalaban rampas, saltaban sobre barriles y se descolgaban entre postes y traviesas. En todo momento el impostor peleó tal como lo hubiera hecho Jack.

—Solo existe una persona en este mundo que conoce este lance —exclamó Jack mientras su alter ego reproducía exactamente una de sus fintas más elaboradas.

Sin embargo, el siguiente movimiento pilló por sorpresa a Jack... El impostor se inclinó y le besó directamente en los labios. De repente, una sonrisa iluminó la cara de Sparrow cuando reconoció aquel beso que había recibido muchos años atrás. El misterio estaba resuelto.

—Hola, Angélica —exclamó mientras le quitaba el sombrero y la barba postiza al farsante para descubrir que el falso Jack era en realidad una hermosa mujer.

—Hola, Jack —contestó—. ¿Estás sorprendido? Creía que había acabado contigo en una o dos ocasiones.

—Estoy abrumado por palabras tan halagadoras —señaló—. ¿Pero por qué?

Angélica dejó escapar una carcajada.

—Eres el único pirata al que podría superar.

Jack reflexionó un instante.

—Eso no es nada halagador —respondió.

—No te preocupes —dijo—. Hace mucho tiempo que te perdoné.

—¿Por abandonarte?

Angélica le apuntó con el dedo.

—Recuerda que fui yo quien te abandonó.

Jack se encogió de hombros.

—Un caballero respeta las fantasías de una dama.

—Pues esta fantasía a mí me encanta —replicó, recreándose en su argumentación—. ¡Primer oficial Jack Sparrow! Mientras mis marineros reciban su salario aceptarán cualquier tipo de extravagancia.

Jack agitó la cabeza. En su opinión, que suplantasen tu personalidad ya era bastante malo, pero que te degradasen a primer oficial era inaceptable.

—No aceptaré participar a menos que sea como capitán, no tengo más que decir —concluyó.

—Para eso necesitarías un barco, y da la casualidad de que yo tengo uno —se burló Angelica.

—Un barco me resultaría de utilidad —asintió.

Scrum abrió la puerta y se asomó, inquieto.

—Señora, observo la presencia de individuos ajenos a la marinería de aspecto funcionarial detectivesco —dijo, señalando la entrada de la taberna. Jack y

Angélica pudieron comprobar cómo hacía su entrada el capitán de la guardia real junto a varios de sus hombres. No tardarían en encontrar el camino hasta el almacén, por lo que Angélica abrevió la conversación.

—He oído que has estado en la Fuente —afirmó—. La Fuente de la Juventud.

—Circulan muchos chismes últimamente —contestó Jack—. En relación con la Fuente... Es una pérdida de tiempo, en realidad. A menos que dispongas de ciertos artículos muy concretos y muy difíciles de conseguir.

Sin dar tiempo a Jack para una explicación más extensa, Scrum abrió la puerta y les interrumpió

—Están llegando.

—¿Amigos tuyos? —preguntó la mujer a Jack.

—Es posible que involuntariamente haya irritado a algún que otro rey —sonrió Sparrow.

—No has cambiado nada —reprochó la mujer con pesar.

—Siempre que consideremos que eso es necesario... —respondió con descaro.

Podían oír a los guardias acercándose, así que Angélica consideró que no tenían tiempo para resolver sus diferencias pasadas, y fue directamente al grano.

—Tú me traicionaste. ¡Me utilizaste! —exclamó—. Y, en cualquier caso, ¿que hacías en un convento español?

Jack se encogió de hombros.

—Un simple malentendido.

Los agentes de la autoridad irrumpieron en la habitación obligando a Jack y a Angélica a desenvainar sus espadas y luchar codo con codo. Mientras se batían en la refriega no abandonaron la discusión.

—Te hago responsable de la situación en la que nos encontramos —dijo él mientras esquivaba el ataque de uno de los guardias—. Tu pantomima al hacerte pasar por mí me ha ocasionado muchos problemas.

A Angélica no le interesaba tanto el presente, ya que aún tenían que resolver asuntos del pasado.

—¡Tú arruinaste mi vida!

Se detuvo un instante al hacer esta declaración y estuvo a punto de recibir una estocada en el corazón,

45

aunque, por fortuna, se interpuso Jack. Era evidente que no podían seguir adelante con su disputa particular y, al mismo tiempo, salir victoriosos del enfrentamiento con la guardia real. Debían elegir una opción.

—Propongo que lleguemos a un acuerdo —declaró ella mientras desataba una soga, haciendo caer una pila de barriles que arrollaron a los oficiales. Al golpear contra el suelo, los toneles estallaron e inundaron la estancia con una lluvia de cerveza.

—De acuerdo —dijo Jack, aceptando su ofrecimiento e intentando sorber alguna gota del líquido que volaba por los aires—. Los enemigos de sus enemigos son mis amigos.

—¡Por aquí! —señaló Angélica, en dirección a la parte trasera del almacén. Le condujo a través de un laberinto de cajas y barriles hasta una trampilla.

—Entonces, ¿qué es lo que necesitamos? —preguntó ella, deteniéndose un instante.

—¿Qué necesitamos de qué?

—Para llegar a la Fuente de la Juventud. ¿Qué necesitamos? —preguntó, retomando la conversación.

Según la leyenda, había que disponer de ciertos objetos para llevar a cabo el ritual de la Fuente de la Juventud.

—No tendrás por casualidad dos cálices de plata. Se rumorea que uno de ellos está en manos de Ponce de León.

Ella negó con la cabeza y descerrajó la puerta de una estocada. Observaron las aguas del río Támesis discurriendo debajo de ellos.

—A grandes males... —dijo ella.

Saltaron a través de la abertura y cayeron peligrosamente cerca de los postes de amarre, antes de sumergirse en las aguas turbulentas. Contuvieron la respiración y bucearon bajo la superficie siguiendo la corriente río abajo. Cuando volvieron a emerger para tomar aire retomaron su discusión en el mismo punto en el que la habían dejado.

—¿Cómo puedes afirmar que yo te he arruinado la vida? —preguntó él mientras braceaba hacia la orilla del río.

—¡Tú sabes exactamente cómo! —dijo ella al tiempo que le sumergía la cabeza en el agua fangosa.

47

Jack estuvo a punto de contraatacar, pero se detuvo.

—Lo sé —admitió.

—¡Ajá! —exclamó Angélica, satisfecha por aquella pequeña victoria sobre Jack.

—Ah, hay algo más —afirmó él.

—¿Nunca has podido superar nuestra separación? —preguntó ella, coqueteando.

—En relación con la Fuente —añadió con una sonrisa—, se cuentan historias. Rumores acerca de que para oficiar el ceremonial se necesita...

—Una sirena —interrumpió ella— lo sé.

De repente Jack sintió una intensa punzada en el cuello. Tanteó con la mano y se arrancó un dardo envenenado. Le empezó a dar vueltas la cabeza, y lo último que pudo ver fue la figura de un hombre fornido, con ojos exánimes y nublados, abalanzándose sobre él.

Antes de perder el conocimiento Jack pudo pronunciar una sola palabra:

—Zombi.

Capítulo cuatro

Existen pocos lugares en la Tierra tan terroríficos como el patio de ejecuciones de la Torre de Londres, donde los cuerpos de piratas fallecidos días atrás se balancean aún colgados de sogas. Las paredes están salpicadas de antorchas encendidas que emiten una luz mortecina y proyectan siniestras sombras sobre el empedrado. Ese era el lugar al que Joshamee Gibbs estaba siendo arrastrado por dos guardias. Decimos arrastrado porque el hombre no tenía ninguna intención de caminar ni de ofrecer ayuda alguna a sus captores.

—¡Esto es un error! —vociferó—. ¡Es una cadena perpetua! ¡No la pena capital! ¡Quiero vivir!

Sus gritos desesperados resonaron entre los muros de piedra, pero no había nadie que los oyera.

Los carceleros siguieron tirando de él hacia el cadalso, donde dos funcionarios con pelucas blancas permanecían a la espera de ejecutar la sentencia.

Un rayo de esperanza le iluminó al percatarse de que en ese patíbulo faltaba un pequeño detalle.

—Os habéis olvidado de la soga —exclamó con una carcajada—. ¡No hay soga!

Súbitamente, Gibbs escuchó un sonido que hizo que se helara la sangre en sus venas. Era una pisada seguida de un largo chirrido. Una nueva pisada y otro chirrido. La secuencia se prolongó hasta que Gibbs no pudo contener más su curiosidad. Se dio la vuelta y descubrió a Héctor Barbossa, que llevaba una soga colgada del hombro.

—Barbossa.

Barbossa hizo una seña a los guardias.

—¡Apartaos! —ordenó, y le ofreció la cuerda a Gibbs—. Espero que sepas hacer un nudo.

—Esto es una canallada —protestó Gibbs—. Obligar a un hombre a que haga el lazo de su propia ejecución.

—Hoy no deberías haberte levantado —dijo con frialdad Barbossa—. ¿Dónde está Sparrow?

A Gibbs se le escapó una sonrisa. El hecho de que Barbossa no supiese dónde se hallaba solo podía significar una cosa.

—¿Se ha fugado?

Barbossa dio la callada por respuesta, y eso solo podía ser interpretado como que Gibbs había acertado.

—Tengo una agenda muy apretada, Gibbs —informó al condenado—. El buque *Providence* zarpará con las primeras luces del día, y si no quieres estar colgado de una soga con la boca llena de moscas para entonces, será mejor que hables inmediatamente.

—¡Llévame contigo! —imploró Gibbs—. Adonde indique la brújula. No encontrarás un miembro de la tripulación más leal que yo.

—¿Llevarte a dónde, Gibbs? —inquirió Barbossa—. ¿A la Fuente? ¿Es allí adonde se dirige Jack? ¿Tienes algo que ofrecerme? ¿Por poco que sea?

Barbossa lanzó la maroma por encima de la horca de tal forma que el lazo recién hecho quedó justo delante del gaznate de Gibbs.

—Déjame en libertad —suplicó—. Entonces te daré lo que tengo.

Barbossa permanecía dubitativo, indeciso ante la posibilidad de que el hombre fuese de alguna utilidad.

—¿Y qué es lo que podrías ofrecerme? Una simple palabra mía basta para que no vuelvas a ver amanecer.

Gibbs tragó saliva y se sacó un mapa del bolsillo. Se trataba del mapa que Jack le había enseñado en el furgón policial. El mapa que él había sustraído durante el alboroto que se había producido en el Palacio de St. James.

—¡Dame eso! —ordenó Barbossa.

Gibbs no era de la misma opinión.

—No esperarás que confíe en ti porque sí.

—A decir verdad —añadió Barbossa—, tienes frente a ti a un hombre reformado. Un hombre nuevo. Abandoné la senda descarriada hace tiempo.

Habían navegado juntos en *La Perla Negra* y era la primera vez que Gibbs tenía ocasión de verle bajo esta nueva perspectiva.

—Un esbirro de la Corona.

—Un súbdito leal, sin otro propósito que ejecutar los designios de mi soberano.

Gibbs estaba desconcertado. Lo único peor que Barbossa, el pirata, era un Barbossa reformado al que le importaba un comino colgar a su antiguo camarada. Era consciente de que debía actuar con rapidez si quería seguir con vida. Había un farollillo sobre el cadalso, y Joshamee pensó que merecía la pena intentar una última treta. Arrojó el candil sobre el mapa, que se prendió fuego al instante.

Barbossa intentó estudiar el contenido tan rápido como pudo. Podía entrever una sirena y dos cálices, pero no conseguía leer lo que había escrito junto a ellos. También pudo apreciar una complicada maraña de círculos que fue imposible descifrar antes de que las llamas consumieran definitivamente el mapa.

—¡Estás loco! —le gritó a Gibbs.

Sin embargo, Gibbs no había perdido la cabeza. Ahora se había convertido en un aliado necesario.

—He tenido tiempo de sobra para estudiar esos círculos infernales y esos garabatos —comentó refiriéndose al mapa—. Cada ruta. Cada destino. Todo a buen recaudo aquí dentro —afirmó, dándose golpecitos con el dedo en la sien para reafirmar su argumentación. Al parecer, aquella noche no se iba a producir ninguna ejecución.

A Barbosa no le quedó más remedio que declarar.

—Bienvenido de nuevo a la Armada, Sr. Gibbs.

Capítulo cinco

La Venganza de la Reina Ana era uno de los buques piratas más grandes y famosos que hayan surcado jamás los mares. Tenía unos treinta metros de eslora y tres altos mástiles, y precisaba una tripulación de más de 125 marineros, entre los que se incluía un tal Jack Sparrow, que en ese momento dormitaba sobre una hamaca en la cubierta principal.

El veneno del dardo diabólico le había mantenido inconsciente durante días, pero al fin parecía que recuperaba el sentido.

—Mueve el trasero, marinero —gritó Scrum para que el hombre se apresurase y se incorporase a su trabajo lo antes posible.

—¡Sí, señor! —contestó Jack automáticamente.

Se dejó caer de la hamaca y agarró una fregona. Le llevó algún tiempo hacerse a la nueva situación. Lo último que había visto había sido un zombi de ojos velados abalanzándose sobre él. Ahora se encontraba en un barco pirata, lo que resultaba bastante desconcertante. Y para colmo de males, le acababan de dar una fregona, como si fuese un simple marinero de cubierta. Después de todo, él era el Capitán Jack Sparrow, uno de los piratas más depravados del Caribe.

—Hum, creo que ha habido un error —le dijo a Scrum—. Yo no debería estar aquí.

Scrum lanzó una risotada de desprecio.

—Muchos de mis hombres se despiertan en el mar, sin la más remota idea de porqué, cuándo o qué firmaron la noche anterior, para luego trasegarse la primera paga en la cantina.

—No, no, no... Yo soy el CAPITÁN Jack Sparrow —insistió—. El auténtico.

—Scrum —respondió el marinero—. Encantado de conocerte. Manos a la obra.

Scrum volvió a colocar la fregona en las manos de Jack y le condujo al centro de la cubierta. Los oficiales del *Venganza* eran los más despiadados que se conocían. Observaron a Scrum y a Jack con miradas tan gélidas que les produjeron escalofríos. Ninguno de los dos se podía permitir que le sorprendieran ocioso en cubierta.

Jack se puso a fregar mientras intentaba recuperar la compostura. De repente, un hecho inusual llamó su atención. Observó a algunos miembros de la tripulación montando un cajón alargado cuyas paredes eran de cristal en vez de ser de madera.

—Es un ataúd de cristal —comentó Jack con preocupación a Scrum.

—Eso parece.

—¿Para qué necesitamos un ataúd de cristal?

Scrum reflexionó un segundo.

—¿Acaso parezco yo el primer oficial?

—¿Dónde estoy? —preguntó Jack una vez más.

—Discúlpame —contestó Scrum—. Te doy la más calurosa bienvenida a bordo de nuestro insigne e infame navío, *La Venganza de la Reina Ana.*

Jack recordaba bien aquel nombre. También conocía el nombre de su capitán.

—Barbanegra —murmuró, más que preocupado.

Barbanegra tenía una reputación execrable, y lo que pudo contemplar Jack durante las horas siguientes no hizo más que confirmarlo. Incluso su estandarte era intimidante. La mayor parte de los piratas navegaba bajo la insignia del *Jolly Roger*, una bandera negra decorada con dos tibias y una calavera, pero la bandera de Barbanegra reproducía, sobre dos tibias cruzadas, el esqueleto del diablo clavando su espada en un corazón ensangrentado.

La bandera ondeaba sobre sus cabezas mientras *La Venganza de la Reina Ana* navegaba por el océano. Las velas estaban henchidas por un viento favorable, las olas acariciaban las amuras y las gaviotas revoloteaban sobre el buque. En circunstancias normales, estos murmullos hubiesen sonado a música celestial en los oídos de Jack, pero también había un golpeteo inquietante. Era el ruido que producía un látigo al desgarrar la carne de aquellos marineros que no habían trabajado con la diligencia necesaria.

La persona que blandía el látigo era el intendente, llamado Artillero, que merodeaba por la cubierta y tenía una apariencia espeluznante, con los labios y un ojo cosidos.

—Ese tipo tiene un aspecto raro —comentó Jack mientras cruzaba frente a ellos—. Debe de ser francés.

—Ha sido zombificado —dijo Scrum—. Es obra de Barbanegra. A todos los oficiales les sucede lo mismo, hace que se mantengan sumisos.

—Y en un estado perpetuo de basante mal humor —añadió Jack.

Sonrió a Artillero y este lanzó un bufido.

Algo bajo el puesto de vigía llamó la atención de Jack. El sol le impedía ver bien los contornos, pero entrecerrando los ojos pudo distinguir a un prisionero con las manos atadas a la espalda y amarrado al mástil. El cautivo no tenía en absoluto aspecto de pirata. Tenía una apariencia fresca y saludable, y vestía una capa bastante ajada.

—¿Qué ha hecho ese tipo? —preguntó Jack—. ¿Y cómo puedo evitar que me ocurra lo mismo?

—Es un hombre de Iglesia, siempre con sus cuentos de Dios Todopoderoso —comentó Scrum—. Al parecer, un misionero. Fue capturado durante una incursión. El resto murió, pero él no.

Jack le observó con curiosidad. No era normal que Barbanegra perdonase la vida a una de sus víctimas.

—El primer oficial no hubiese permitido que le sucediese nada por respeto al día en que se encuentre con el Señor —prosiguió—. A mí me parece raro, si quieres saber mi opinión.

—No —rebatió Jack mirando por encima del hombro a Artillero—. Lo raro es estar en medio del puente con un látigo.

—¿Y eso de que nuestra primer oficial demuestre algún interés por un prisionero? —dijo Scrum—. Eso es algo difícil de entender.

De repente, a Jack se le iluminó la mente.

—¿Nuestra? —preguntó—. ¿Nuestro primer oficial es una mujer?

Al menos ahora se explicaba cómo había llegado a bordo. Este debía de ser el navío de Angélica y, con oficiales zombis o sin ellos, Jack estaba decidido a enfrentarse con ella. La encontró paseando por la cubierta principal. Dio un salto para sorprenderla, empuñando un garfio de estibador y colocándoselo en el cuello.

—Eres una perversa, traidora y vil canalla —exclamó Jack.

—Ya te dije que tenía un barco —sonrió Angélica.

—No —corrigió Jack—. Barbanegra tiene un barco. En el cual yo ahora me encuentro prisionero.

Angélica apartó el gancho y miró a Jack directamente a los ojos.

—Nosotros podemos sacar esto adelante, Jack. La Fuente de la Juventud, lo que siempre deseaste.

Jack la miró con escepticismo y señaló en dirección a los aposentos del capitán.

—Edward Teach —exclamó, utilizando el verdadero nombre de Barbanegra—. El pirata temido hasta por los piratas. Resucitador de muertos en sus ratos libres.

—Él me escuchará —aseguró Angélica.

—Él no escucha a nadie —rebatió Jack.

En el rostro de Angélica se dibujó una sonrisa.

—¿Quizá a su propia hija?

Al parecer, además de hacerse pasar por Jack Sparrow en Londres, ahora pretendía ser la hija de Barbanegra. Jack no podía creer que Angélica intentase un truco tan peligroso y comprometido.

—¿Su hija? ¿Engendrada por quién?

Angélica adoptó esa expresión infantil que ya había utilizado con Barbanegra.

—Extraviada hace tiempo. Recién aparecida y amante de su querido papaíto con todo su corazón.

—Sí, pero tú no eres su hija —apuntó muy acertadamente Jack. Angélica le dirigió una sonrisa maliciosa.

—¿Y él se lo ha creído? —preguntó Jack, sorprendido.

—Yo hice que se lo creyera —afirmó Angélica.

Jack analizó la situación.

—Por tanto, la Fuente de la Juventud es para él, o para él y para ti. En ningún caso para nosotros dos.

—No, Jack, eso es lo mejor de todo. Él estará muerto.

Durante años, individuos de todas clases habían intentado acabar con Barbanegra, y solo habían conseguido acabar bajo tierra. Jack no tenía ningún deseo de unirse a ellos.

—¿Tú te encargarás de esa parte? —inquirió Jack.

—Existe una profecía. El hombre sin ojos —afirmó, refiriéndose al zombi que se había abalanzado sobre Jack en Londres—. Se le conoce como *eleri ipin*, lo que significa «testigo de la fe». Sus palabras se hacen realidad. Puede ver los acontecimientos antes de que sucedan. Nunca se equivoca.

—Yo también puedo hacer eso —se burló Jack—. Siempre que no se trate de mujeres, del tiempo y de alguna otra cosa que resulta bastante difícil de predecir.

Angélica sacudió la cabeza.

—Él ha visto su defunción —replicó la mujer—. Eso es una sentencia de muerte.

—¿Tú crees en eso?

El hecho de que ella creyese o no creyese era un dato sin importancia.

—Él lo cree —explicó—. Por ese motivo precisa de la Fuente de la Juventud, Jack. Puede sentir el frío aliento de la muerte en el cogote.

—No me parece un argumento de peso —declaró Jack, escéptico.

—La profecía dice lo siguiente —apuntó ella con gran confianza—: Barbanegra encontrará la muerte en el plazo de dos semanas a manos de un hombre con una sola pierna.

La mirada de Jack se iluminó. Daba la casualidad de que él mismo conocía a un hombre con una sola pierna que también estaba interesado en la Fuente de la Juventud. Quizá aquel brujo pudiese realmente adivinar el futuro.

—Interesante —dijo Jack al tiempo que una sonrisa tomaba forma en la comisura de sus labios.

El CAPITÁN JACK SPARROW
se pregunta cómo se ha metido de nuevo en otro embrollo.

Rescatado de la horca, **GIBBS** informa a Jack sobre un impostor que afirma ser el auténtico Capitán Jack Sparrow.

Jack se bate en duelo con el mejor espadachín de la taberna *La hija del capitán:* él mismo.

El que fuera pirata y corsario, HÉCTOR BARBOSSA, ahora es capitán de la Marina Real Británica, en busca de la Fuente de la Juventud, y del Capitán Jack Sparrow.

LA VENGANZA DE LA REINA ANA

está tripulado por violentos oficiales zombis.

Saltan chispas cuando **JACK** y **ANGÉLICA** se vuelven a encontrar a bordo del barco pirata de Barbanegra.

Edward Teach, más conocido como el villano
BARBANEGRA, es el pirata más temido
de los que navegan por los Siete Mares.

Una hermosa y mortífera sirena besa a **SCRUM**.

El misionero **PHILIP** lucha por ayudar a la sirena capturada, **SYRENA**.

La misteriosa y hermosa **ANGÉLICA** también
va en busca de la Fuente de la Juventud.

ANGÉLICA, BARBANEGRA y PHILIP
emprenden el peligroso viaje hacia la legendaria Fuente de la Juventud.

EL CAPITÁN JACK SPARROW
se pregunta si llegará vivo a la Fuente de la Juventud.

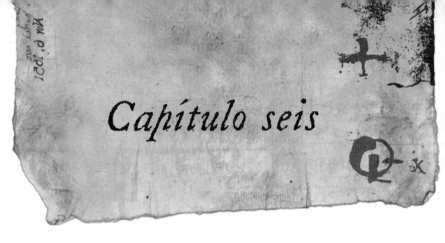

Capítulo seis

*A*l contrario que *La Venganza de la Reina Ana*, con sus oficiales zombis y su heterogénea tripulación, el buque *Providence* era un distinguido, impecable y muy competente navío de la Armada Británica.

La fragata de tres palos poseía un casco estrecho y alargado construido expresamente para ganar velocidad, lo que hacía que fuese ideal para emprender la singladura a través del Atlántico en aquella loca carrera por alcanzar la Fuente de la Juventud. Por otra parte, los treinta y seis cañones de aquella máquina de guerra ofrecían una garantía en el caso de que la carrera desembocase en un enfrentamiento armado. A pesar de que quizá se hubiese encontrado más a sus anchas en el barco de Barbanegra, Héctor Barbossa estaba orgulloso de comandar aquel buque perteneciente a la Corona.

Su último navío había sido *La Perla Negra*, y cuando se hundió pensó que nunca en su vida capitanearía otro bajel. Por el contrario, allí estaba él, al mando del timón. Para recalcar su autoridad se desplazaba con pasos cortos, con el fin de no arrastrar la pata de palo, que emitía un ruido sordo y siniestro cada vez que golpeaba el entablado de la cubierta.

Mientras manejaba el timón dejó volar la imaginación unos instantes, rememorando *La Perla Negra* y su aciago destino. Afortunadamente, tan solo se trató de una divagación momentánea, que fue interrumpida por la presencia de uno de sus oficiales, el Teniente Groves.

—¿Alguna orden, señor?

Barbossa apartó de su mente los funestos recuerdos de *La Perla*, deseoso de aprovechar la ocasión para renovarse tomando nuevos rumbos.

—Que venga el oficial de derrota y se haga cargo del timón —ordenó en un tono petulante.

—Sí, señor —dijo Groves, saludando antes de dirigirse a los compartimentos bajo cubierta para buscar a Joshamee Gibbs.

Mientras el buque batallaba con el oleaje y el agua salada le salpicaba la cara, Barbossa no podía evitar debatirse entre dos emociones enfrentadas. Estaba encantado de encontrarse en el mar al mando de un barco, pero, al mismo tiempo, le preocupaban los contratiempos a los que habría de enfrentarse. Durante siglos los marineros habían intentado localizar la Fuente de la Juventud y prácticamente todos habían perdido la vida en el empeño.

Momentos más tarde, el Teniente Groves regresó con Joshamee Gibbs, quien, por el hecho de haber memorizado el contenido del mapa, se había convertido en piloto mayor del buque.

—Señor Gibbs —exclamó Barbossa—. En vista de que carecemos de un mapa, ¿sería tan amable de marcarnos un rumbo?

A pesar de haber servido en la marina cuando era más joven, Gibbs estaba mucho más familiarizado con la vida de pirata, que incluía infinitamente menos normas y bastante más cerveza. Se volvió hacia Groves para hacerle una petición que él consideraba razonable.

—¿Sería tan amable de servirme un trago?

—No —contestó Barbossa—. Nosotros somos corsarios, no piratas, señor Gibbs. Y vive Dios que nos comportaremos como tales.

—Sí, capitán —convino Gibbs con un suspiro, antes de añadir en voz baja—: No hay persona más estricta que un truhán rehabilitado.

Gibbs estudió las cartas de navegación e intentó reconstruir en su mente aquellos misteriosos círculos concéntricos que había visto en el mapa de Jack. Giró el mapa en una dirección y su cuerpo en la otra. Este curioso movimiento hizo que Barbossa y el teniente se preguntasen si Gibbs sabría lo que estaba haciendo.

—¿Mantenemos el rumbo correcto, Gibbs? —preguntó Barbossa con inquietud.

—Sí, correcto —respondió Gibbs en un tono decidido—. Y ahí tiene la prueba.

Señaló hacia el horizonte en dirección a tres galeones españoles con todas sus velas desplegadas, que seguían la misma ruta que el *Providence*.

Barbossa daba por descontado que se encontraría con ellos, pero no tan pronto.

—¡Todos a sus puestos! ¡Zafarrancho de combate! —ordenó.

La tripulación se dirigió a sus puestos mientras Barbossa aullaba consignas y su primer oficial, el teniente Groves, las transmitía a los marineros.

—¡Virar a barlovento!

—¡Todo a barlovento!

—¡Ceñir dos grados!

—¡Dos grados!

—Ha sido construido y aparejado para la navegación extrema —comentó Barbossa con una sonrisa de satisfacción. Estaba decidido a poner a prueba la capacidad del *Providence* y rebasar a los españoles. Sin embargo, los tres galeones seguían manteniendo su ventaja. Sencillamente eran mucho más grandes y veloces que el *Providence*.

Barbossa se dispuso para la batalla.

—¡Cañoneros, ocupen sus puestos! —exclamó—. Todos en silencio y esperen la orden.

—¡Descubran los cañones! —gritó Groves—. ¡Deprisa!

Barbossa estaba impresionado por la diligencia de la tripulación. Los marineros habían obedecido órdenes con una disciplina férrea, tanto era así, que ya se encontraban en posición de combate. No obstante, cuando volvió a mirar hacia los galeones, Barbossa se dio cuenta de que no tenía ninguna posibilidad frente a aquellos tres enormes navíos. Juró entre dientes que si volvía a perder otro barco se iría al fondo del mar con él.

Deseaba que comenzase la contienda, al igual que sus oficiales. La tripulación estaba asustada, pero mantenía la compostura.

Barbossa empuñó su catalejo y enfocó hacia el castillo de popa del buque insignia. Allí pudo ver al hombre de piel curtida que había asesorado al Rey Fernando. Un individuo que era conocido entre marineros como Barbossa con el simple apodo de El español. Su pericia era legendaria, y le rodeaba un halo de misterio.

Para sorpresa de Barbossa, El español no tomaba ninguna medida para enfrentarse al combate. Ni siquiera se dignaba a mirar hacia el *Providence*. Sus ojos permanecían fijos en el lejano horizonte, y él siguió sin inmutarse mientras los galeones surcaban silenciosamente las aguas.

—No ha dado la vuelta en ningún momento —reconoció Gibbs, estupefacto.

—Su recompensa es valiosa, la Fuente de la Juventud —replicó Barbossa—. Al parecer ni siquiera merecemos el tiempo que tardaría en mandarnos a pique. Ahora nos lleva ventaja.

Barbossa reflexionó un instante y gritó.

—¡Todo el mundo, manos a la obra! ¡Desplegad más vela!

La tripulación abandonó inmediatamente sus puestos de combate, decidida a conseguir que el buque navegase lo más rápido posible.

—¡A toda vela, contra viento y marea! —gritó Héctor Barbossa, y esa orden no tuvo que ser repetida por Groves.

Todos, capitán, oficiales y marineros, tenían, por esta vez, un objetivo común.

Capítulo siete

Cuando Jack Sparrow capitaneaba *La Perla Negra* y Héctor Barbossa era su primer oficial, este último encabezó un motín que consiguió hacerse con el barco y abandonó a Sparrow para que se pudriera en una isla desierta. Por tanto, Jack sabía algo de motines. En este caso, sin embargo, se encontraba del lado de los conspiradores. Quizá Angélica confiase en poder controlar a Barbanegra, pero él no estaba tan seguro. Si a ello se añaden un grupo de oficiales zombis, una tripulación maltratada y aterrorizada, y la brutal reputación de Barbanegra, la combinación resultaba totalmente inaceptable para Jack.

Tampoco le importaba mucho fregar la cubierta.

Hizo correr la voz entre la tripulación de que se reuniesen en un camarote de la segunda batería de *La Venganza de la Reina Ana*.

Era ya de noche y la única luz consistía en el parpadeo de un candil colocado sobre un cajón. Esta circunstancia, combinada con los crujidos de la nave, aportaba a la reunión un toque fantasmagórico. La estrategia de Jack consistía en tensar al máximo los ánimos de la tripulación y así lograr que se sumasen a su plan. Se reclinó hacia atrás de forma que sus facciones permaneciesen aún más en penumbra.

—El tema es el amotinamiento —pronunció Jack en un susurro—. La más loca de las revueltas.

—Ya —dijo un marinero llamado Salaman—. Yo firmé para navegar bajo el mando de Jack Sparrow, no de un impostor.

—Y, para colmo, una mujer —añadió otro.

El cocinero se inclinó hacia adelante.

—Nunca se habló de un cuerpo de oficiales tan extraño —dijo, refiriéndose a los oficiales zombis.

—Me producen escalofríos —añadió el sobrecargo.

Jack sabía por experiencia que la mejor forma de soliviantar a una tripulación era dejar que ella misma se soliviantase. Se arrellanó en silencio mientras escuchaba cómo hacían recuento de sus humillaciones y, cuanto más se extendía la lista, más crecía su predisposición al motín. Seguían enumerando sus ofensas cuando hizo su entrada en el camarote un grumete cargando en sus brazos un montón de espadas que había sustraído del depósito de armas.

—Las tengo —dijo orgulloso—. He cogido todas.

Las dejó caer sobre el cajón.

Jack estaba muy satisfecho. Tenía a la tripulación revolucionada y contaba con armamento. Lo único que necesitaba ahora era adivinar el momento en que Barbanegra pudiera ser más vulnerable. Las dependencias del capitán en *La Venganza* estaban situadas en la popa del buque y habían sido diseñadas para resistir un motín. Con muy pocas vías de acceso, los camarotes estaban bien protegidos, y habría resultado muy difícil para los sublevados acceder a su interior. Lo más razonable era atacar cuando el capitán se encontrase en cubierta.

—Pongámonos a ello, pues —anunció Jack—. Barbanegra. ¿Cuáles son sus costumbres?

Los marineros se miraron unos a otros. Por extraño que resulte, nadie parecía saber nada al respecto.

—Pasa la mayor parte del tiempo en su camarote —comentó Scrum, provocando un asentimiento general.

—¿Sí, pero cuándo sale afuera? —inquirió Jack sin recibir por respuesta más que miradas de desconcierto—. Tiene que salir en alguna ocasión.

Jack los observó con curiosidad, pero nadie dijo una palabra. Sorprendido frente a esta extraña actitud, decidió cambiar la estrategia del interrogatorio.

—¿Alguno de vosotros ha navegado con él anteriormente? —preguntó.

Los marineros se miraron entre sí. Seguramente alguno de ellos se había embarcado con él en alguna ocasión pero, una vez más, nadie abrió la boca.

Jack no daba crédito a lo que estaba presenciando.

—Permanece en su camarote. Ninguno ha navegado con él. Nadie le ha visto —exclamó Jack soltando una risotada—. Buenas noticias para todos, caballeros. Este no es el barco de Barbanegra. No nos encontramos en *La Venganza de la Reina Ana*.

Los miembros de la tripulación empezaron a meditar sobre este nuevo punto de vista. Cabía la posibilidad de que estuviesen engañados al creer que se encontraban en el buque de Barbanegra, igual que fueron engañados cuando creyeron que Angélica era Jack Sparrow.

—Ah, no, estamos en *La Venganza* —protestó Scrum.

—¿Cómo lo sabes? —preguntó Jack.

—Mira el nombre escrito en el casco —afirmó Scrum con gran convicción.

Jack agitó la cabeza. No entendía cómo Scrum podía ser tan necio. Él creía que era posible que alguien hubiese escrito un nombre cualquiera en el costado del buque. Pero decidió pasar al siguiente punto—. Caballeros, el primer deber de un hombre está con su honor antes que con su profesión, y nosotros no podemos cumplir con ese deber si no reaccionamos frente al engaño.

—¿Que estamos en un rebaño? —preguntó uno de los marineros.

Había llegado el momento para Jack de darles el empujón final, hacer que pasasen de estar soliviantados a sublevarse.

—Ah, no habéis sido informados acerca de vuestro destino —hizo oscilar el candil para producir un efecto aún más dramático—. Nos aguarda una muerte segura. Nos dirigimos a la Fuente de la Juventud.

Aquellos hombres que parecían tan valientes cuando se enrolaron como piratas en *La hija del capitán* se quedaron petrificados al instante. Entre los marineros circulaban multitud de historias sobre el infausto destino que esperaba a todo aquél que intentase alcanzar las aguas de la Fuente.

—¡Una muerte segura! —aulló uno.

—¡El jardín de las almas en pena! —gritó otro.

—¡Nuestro final está cerca!

—A menos que —dijo Jack, aprovechando la ocasión—, nos adueñemos del barco.

Scrum se puso en pie de un salto y empuñó una espada.

—¡Tomemos el buque ahora! —exclamó y abrió de golpe la puerta, dispuesto a lanzarse al ataque.

Se produjo un cierto desconcierto entre los marineros, por lo que se volvieron hacia Jack para confirmar que aquello era lo que debían hacer.

—¡Tomemos el buque ahora!

A su orden los piratas cruzaron precipitadamente la puerta y subieron a las cubiertas iluminadas por la luna. Cada uno de los oficiales cadavéricos que encontraron recibió su ración de afilado acero. En ese momento resonó el alarido de un monstruo marino.

Jack salió corriendo hacia el camarote de Angélica. Abrió la puerta de golpe, despertándola, pero no del todo. Ella vio su silueta en el umbral de la puerta.

—Si esto es un sueño será mejor que no te quites las botas ni la espada —comentó, adormilada—. Si no lo es, no deberías estar aquí.

En ese instante, escuchó el grito de un oficial y el sonido de acero chocando contra acero. Esto era real. Saltó de la cama y empuñó su espada.

—Nos estamos apoderando del barco —exclamó Jack—. Te lo advierto, quizá quieras...

Antes de que pudiese terminar la frase, la mujer se abalanzó sobre él, espada en mano. Jack consiguió cortarle el paso de un portazo en el último momento, provocando que el hierro se clavase en la madera en lugar de hacerlo en su pecho.

—Mantenerte al margen —concluyó Jack desde el otro lado de la puerta.

No tuvo tiempo de pronunciar nada más, ya que vio al satánico Artillero arremetiendo contra él. El zombi le hizo retroceder, pero otros miembros de la tripulación no tardaron en acudir en ayuda de Jack.

En compañía de Salaman, Jack saltó por encima de las jarcias para liberar a Philip, el misionero.

—¡Puedes elegir entre estar con nosotros o contra nosotros! —exclamó Salaman.

—Ni estoy con vosotros —dijo Philip—, ni contra vosotros.

Salaman no sabía cómo interpretar aquello.

—¿Puede hacer eso? —preguntó a Jack.

—Es un hombre de fe —apuntó este—. Creo que esa es su obligación.

No había tiempo para debatir, ya que la refriega aún no se había resuelto. Angélica se había unido a los zombis y luchaba con valentía. Sin embargo, la realidad era que los marineros superaban en número a los oficiales.

—¡Luchad hasta el último aliento! —gritaba Jack sobre los aparejos, arengando a sus hombres—. ¡Apresadlos a todos!

Poco después los oficiales habían sido reducidos. Algunos habían muerto, otros habían sido arrojados por la borda, pero la mayoría de ellos estaban amarrados al mástil.

Jack saltó sobre una plataforma y alzó su espada, victorioso.

—¡Este barco nos pertenece! —anunció.

Para su sorpresa, esta afirmación no fue recibida con exclamaciones de júbilo por parte de sus hombres.

Por el contrario, sus ojos inmensamente aterrados permanecían fijos en algún punto a su espalda. Jack se giró lentamente y pudo observar lo mismo que los demás. Recortada contra el claro de luna se apreciaba la amenazante figura de Edward Teach, más conocido como el famoso Barbanegra.

Capítulo ocho

Barbanegra recorrió con su mirada toda la cubierta e intentó controlar su ira. Sus oficiales estaban amarrados al mástil, y su propia tripulación había cometido tal infamia.

—Disculpen, caballeros —estalló—. Estoy absolutamente perplejo. Yo soy Edward Teach, Barbanegra, y me alojo en las dependencias del capitán. ¿No es cierto? Eso significa que soy el capitán... Sobran las palabras.

Los miembros de la tripulación se sobrecogieron de espanto, y Jack intentó improvisar alguna solución mientras Barbanegra se paseaba desafiante entre ellos, al tiempo que desenvainaba su espada lentamente.

—¿A qué obedece este tumulto en cubierta? —preguntó Barbanegra—. ¡Marineros que abandonan su

puesto desobedeciendo órdenes! ¿Hombres apropián-
dose del buque para su propio disfrute? ¿Cómo se llama
eso, primer oficial?

—¡Motín! —respondió Angélica.

—Exacto —prosiguió Barbanegra mientras seguía
paseando entre ellos y escrutaba sus rostros atemo-
rizados—. ¿Y cuál es el destino de los amotinados?
Todos conocemos la respuesta.

Acto seguido se plantó frente a Jack y le miró fijamente a los ojos antes de exclamar:

—¡Los amotinados son COLGADOS!

Sin alterarse lo más mínimo, Jack se volvió hacia la
tripulación a la que tan hábilmente había convencido
para que se sublevase.

—Capitán, señor, me hallo aquí para denunciar una
rebelión a bordo —declaró—. ¡Puedo señalar a los cul-
pables y darle sus nombres!

—¡No es necesario, señor Sparrow! —rugió—.
Ellos son las ovejas, y usted es el pastor.

Parecía que Barbanegra iba a aniquilarle allí mismo,
pero Angélica se interpuso.

—Padre —le recordó—. Él ha estado... En el lugar al que nosotros nos dirigimos.

Jack añadió, con regocijo:

—¿Le he comentado ya, señor, lo encantadora que es su hija?

—Una última visión muy adecuada para un alma condenada —comentó Barbanegra, amenazador.

—Clemencia, padre —suplicó ella—. Los mares, el cielo, no conocen la compasión. Tú puedes estar por encima de todos ellos.

Reflexionó un instante y luego negó con la cabeza.

—Si no mato a algún hombre de vez en cuando, se olvidan de con quién se las gastan —añadió, riendo.

En ese instante resonó un grito inesperado.

—¡Cobarde!

Todas las miradas se dirigieron hacia Philip, el misionero, que, al contrario que los demás, no estaba en absoluto asustado.

—Ellos no olvidan —añadió—. Tu tripulación te ve como el canalla que eres. No importa a cuántos asesines, seguirás siendo un cobarde.

Barbanegra no podía creer que alguien se atreviese a hablarle en ese tono. En su propio barco, ni más ni menos.

—Dos veces en un mismo día. Estoy impresionado —dijo con sorna.

Philip no retrocedió.

—No. Estás asustado. No te atreves a tomar el camino de la rectitud, el camino hacia la luz.

—Señor, la realidad es más sencilla que todo eso —dijo, acercándose al misionero—. Soy un hombre malvado.

Dio la orden de que Philip fuera ejecutado pero, una vez más, Angélica acudió al rescate.

—¡No, padre, no lo hagas! —exclamó mientras desenvainaba su espada y se interponía entre los dos.

—Olvidaba la preocupación de mi hija por el bienestar de mi alma —comentó—. El castigo eterno, el abismo abrasador me espera si acabo con la vida de un enviado del Señor. Es peor que el conjunto de todos mis pecados pasados. ¿Es así como funciona?

Angélica asintió. La observó y reflexionó.

En ocasiones esa muchacha se comportaba como el pirata más artero y avezado que hubiese conocido jamás. Sin embargo, también era la joven temerosa de Dios que había sido educada en un convento.

—¿De verdad piensas que tengo salvación? —le preguntó en voz baja.

—Cualquier alma puede ser redimida —contestó con convicción.

Barbanegra miró al misionero.

—¿Es eso cierto, pastor?

Philip asintió.

—Sí, aunque en su caso veo que la tarea puede ser ardua. De todos modos, rezaré por todas las desgraciadas almas que viajan en este barco condenado al infierno.

—Su fe me desarma —dijo Barbanegra al tiempo que se giraba hacia el resto de los presentes.

En cualquier caso, allí se había producido un motín y alguien tenía que pagar por ello.

—¿Quién era el desgraciado que estaba de guardia? —preguntó a voz en grito.

Había decidido que aquel que hubiese estado de guardia pagaría por el amotinamiento. A pesar de que no era él el responsable, Jack dio un paso adelante.

—Yo —dijo—. Yo estaba de guardia.

Barbanegra soltó una carcajada y negó con la cabeza. Sabía que no se trataba de Sparrow. El pirata se volvió hacia el zombi Artillero, quien hizo un gesto en dirección al cocinero del barco.

—Ah, así que el cocinero —afirmó Barbanegra—. Excelente, arríen el bote.

Con toda presteza fue descolgado un bote de *La Venganza de la Reina Ana*. El cocinero era su único pasajero, el tripulante escogido por Barbanegra para que sirviese de escarmiento entre los amotinados.

La lancha se balanceó entre el oleaje, y el cocinero empezó a remar tan rápido como podía. No tenía muchas oportunidades de salir indemne frente al barco pirata, pero iba a hacer lo posible por intentarlo.

—¡Vuelvan a sus puestos! —ordenó Barbanegra a sus oficiales zombis, que ocuparon de nuevo sus posiciones al mando del buque.

Empezaron a hacer virar *La Venganza de la Reina Ana* de forma que enfilase en dirección al bote del cocinero.

—Ten compasión, padre —suplicó Angélica.

—Amotinamiento, hija —replicó con frialdad—. Nuestras leyes son muy estrictas.

—Bienaventurados sean los compasivos, porque ellos recibirán clemencia —comentó, citando unos versículos de la Biblia que había aprendido en el convento.

—Es una bendición para un hombre el tener en sus manos el desenlace de su destino —respondió Barbanegra—. Una gracia que no está al alcance de todos.

En realidad, poco podía hacer el cocinero para cambiar su suerte. Por muy enérgicamente que remase no podía escapar a la perversa jugarreta que Barbanegra había ideado para él.

—¡Estamos en rumbo! —gritó Barbanegra una vez que la nave se alineó con el bote.

—¡Deténganse! —suplicó Philip—. Den una última oportunidad a ese hombre.

Era demasiado tarde. De la boca del mascarón de proa del buque, que había sido tallado con la forma de un esqueleto, surgió una pavorosa llamarada. Jack no había visto algo así en su vida, un fuego que incendiaba las aguas. Un fogonazo que parecía sobrenatural.

El cocinero lanzó desgarradores gritos de agonía mientras las llamas arrasaban el bote. Barbanegra, con ojos de loco, se giró hacia Philip.

—¿Quizá desee rezar una oración para que salga ileso? —añadió socarronamente.

—Se lo ruego —se escuchó la voz de Philip por encima de los alaridos del cocinero—. Ese hombre aún puede ser rescatado.

—Otra vez —ordenó Barbanegra, ignorando al misionero.

Uno de los oficiales zombis sonrió de forma siniestra mientras encendía la mecha y provocaba otra llamarada sobre las aguas. Los gritos se prolongaron durante unos minutos angustiosos.

A continuación todo quedó en silencio, excepto por el sonido de las olas acariciando los costados del buque.

Tras esta demostración, Barbanegra estaba seguro de que no se volvería a producir otro motín entre su tripulación. Sin embargo, aún tenía que lidiar con Sparrow, el cabecilla de la revuelta. Con la ayuda del contramaestre arrastraron a Jack hasta su camarote y le arrojaron con fuerza contra un mamparo.

Barbanegra se abalanzó instintivamente sobre él, y durante unos instantes Jack pensó que tal vez le hubiera llegado el momento de abandonar el reino de los vivos.

—No tengo ningún interés en la Fuente —afirmó Jack—. Por tanto, si esto te tranquiliza, puedes abandonarme en cualquier lugar que desees.

—Tus palabras te rodean como la niebla —dijo Barbanegra—. Resulta difícil verte entre ellas.

—¿Y qué podemos decir de ti, el temible Barbanegra? —añadió Jack—. Aquí estás, cada vez más asustado.

—¿Asustado? —inquirió Barbanegra.

—Por la Fuente.

—Todas las almas tienen una cita marcada con la muerte. En mi caso, la diferencia es que conozco el momento exacto en que sucederá —replicó Barbanegra con una sonrisa—. Tengo que llegar a la Fuente. Sería inútil luchar contra el destino, pero estoy dispuesto a burlarlo.

En ese momento entró en el camarote Angélica.

—Ah, bien. Todavía sigue vivo —comentó, al ver a Jack—. ¿Nos conducirás hasta la Fuente? ¿No es así?

Barbanegra se acercó amenazante una vez más.

—Digámoslo de otra forma —añadió Barbanegra—. Si yo no llego a tiempo allí... Tú tampoco lo harás.

De repente apareció en la puerta el intendente del cocinero. El mismo cocinero que había sido calcinado anteriormente. No estaba muerto, aunque tampoco estaba exactamente vivo. El fuego formaba parte de un ritual de magia negra que le había transformado. Se había convertido en un zombi, igual que el resto de los oficiales de la nave. Jack observó sus ojos apagados y mortecinos, y se percató de que su destino era peor que la muerte. También consideró que él podría ser el siguiente y tomó inmediatamente una decisión.

—Echaré un vistazo a esas cartas de navegación —dijo animosamente—. Si ustedes no tienen inconveniente.

Capítulo nueve

Con la espuma del océano salpicándole la cara, Héctor Barbossa disfrutaba de su regreso al mar.

El *Providence* cortaba las olas en su singladura hacia el Territorio Español, la tierra firme que rodeaba el Mar Caribe. No habían sido avistados más galeones o barcos piratas. Además, al contrario de lo que le sucedía a Barbanegra, Barbossa no tenía que enfrentarse con una tripulación problemática. O eso creía.

Mientras permanecía cómodamente sentado, picoteando rodajas de manzana de una bandeja de plata, se le acercó por la espalda el Teniente Groves en compañía de otros miembros de la dotación.

—¿Sí? —preguntó Barbossa mientras mordisqueaba un crujiente pedazo de fruta.

—Capitán, señor —farfulló Groves—. Siento informarle de ciertos rumores sobre nuestro destino.

Barbossa no quería oír una palabra más.

—Cerrad la boca, truhanes, y abrid paso —gruñó.

Ni Groves ni el resto del grupo se movió de su sitio.

—Sin ánimo de ofender, señor —añadió Groves.

Barbossa suspiró.

—¿De qué tienen miedo los hombres?

—De la Bahía de Whitecap.

Barbossa ya se lo esperaba.

—Todos los marineros inútiles sienten temor al escuchar ese nombre.

Gibbs levantó la mirada de una carta de navegación.

—¿Es cierto lo que se cuenta? —preguntó, reacio a pronunciar las palabras que tanto pavor le producían.

—¡La voz te tiembla como la cuerda de un violín! —exclamó Barbossa—. Di de una vez lo que inquieta a ese devoto corazón tuyo, Gibbs, o deja que se pierda para siempre en el vasto mundo de la fantasía.

Gibbs se aclaró la voz.

—Sirenas, señor.

—Ya..., sirenas —repitió Barbossa—. Demonios marinos, peces diabólicos, ansiosos por devorar la carne de los hombres. Ese es nuestro destino.

Entre el grupo de marineros allí reunidos se propagaron murmullos de terror.

—Agárrese a su alma, señor Gibbs, porque las sirenas darán buena cuenta del resto, hasta los huesos —insistió Barbossa.

—Bravos tripulantes de este buque, haced acopio de valor —arengó Groves—. O disponeos a apartar de vosotros cualquier temor.

Uno de los marineros no pudo soportar la posibilidad de enfrentarse con una sirena asesina. Se lanzó por la borda y empezó a nadar en dirección a una remota isla que se distinguía en el horizonte.

—¡Hombre al agua! —gritó Groves.

—No —corrigió Barbossa—. Es un desertor.

Groves no daba crédito.

—¿Intentamos rescatarlo, señor?

—No —respondió Barbossa con firmeza, al tiempo que se dirigía a la tripulación resueltamente, con la esperanza de levantar los ánimos—. No tengo intención de exigir a ningún hombre más de lo que pueda dar. Pero yo os pregunto… ¿Somos súbditos del Rey?

Los marineros se pusieron en posición de firmes. Incluso algunos contestaron afirmativamente.

—¿Cumpliendo con una misión del Rey? —continuó—. No pude apreciar el menor atisbo de temor en los españoles cuando nos tomaban ventaja.

Ahora la tripulación se sentía avergonzada.

—¿Acaso no somos súbditos del Rey? —volvió a preguntar Barbossa en tono aún más enérgico.

—¡Lo somos! —gritaron, con más entusiasmo.

—Así es —afirmó Barbossa, y comenzó a impartir órdenes por doquier—. ¡Cazad la sobremesana e izadla! ¡Ceñidla con fuerza! ¡A toda vela!

Los miembros de la tripulación ocuparon sus puestos, preparados para afrontar cualquier peligro. Pero Gibbs no estaba del todo convencido, miró al desertor que nadaba en dirección a la isla y se preguntó si no era esa la mejor idea.

Capítulo diez

En la oscuridad de una noche sin luna, varios botes arriados desde *La Venganza de la Reina Ana* se dirigían hacia un viejo muelle en la Bahía de Whitecap. Los ocupantes permanecían en silencio. Los únicos sonidos procedían de los remos golpeando contra el agua y de las olas rompiendo contra la costa rocosa.

Cuando atracaron en el puerto algunos de los piratas comenzaron a arrastrar grandes y pesadas redes sobre el muelle.

—Extendedlas bien, que no se enreden —ordenó Barbanegra mientras paseaba entre ellos—. Reparad los agujeros. ¡Que queden impecables para acoger a nuestros invitados! —añadió, riendo entre dientes.

Barbanegra se giró hacia los miembros de su expedición, entre los que se encontraban Jack, Angélica y Salaman.

—Necesitaremos luz —exclamó—. ¡Mucha luz!

Se encaminó hacia un faro abandonado situado en un promontorio y, mientras el resto de los piratas preparaban las redes, Jack y los demás le siguieron.

Mientras subían por los escalones que conducían a la cima, Jack intentaba explicar a un joven marinero aquello a lo que se enfrentaban, así como otros detalles acerca del ritual que había de realizarse en la Fuente.

—Necesitamos una lágrima de una sirena. Por tanto, necesitamos capturar a una sirena —comentó.

—¿De verdad? —preguntó el marinero.

Jack hizo una pausa y miró fijamente al joven.

—¿Has visto alguna vez una sirena? Piensa en un tiburón, pertréchalo con armamento y convierte el resultado en un grupo de mujeres.

—¿Mujeres hermosas?

—¿No te he dicho que son como tiburones? —preguntó Jack.

—He oído que en una ocasión Jack Sparrow supo ganarse los favores de las sirenas —contestó el marinero.

Jack no pudo evitar que el brillo de un diente de oro destellase en su sonrisa.

—¿Aún circula esa vieja historia? El favor de una sirena, quizá —prosiguió Jack—. Eso es posible.

—¿Hay alguna mujer, en algún lugar, que esté a salvo de ti? —preguntó Angélica.

Por fin llegaron al piso superior de la torre del faro. La puerta estaba podrida y se había desprendido de los goznes. El mecanismo de iluminación era complejo y estaba bien conservado. Consistía en una plataforma giratoria, un gran espejo y un sistema de tuberías que lo conectaba con un gran tanque.

Todas las miradas se giraron hacia Salaman, que era el más experimentado con este tipo de maquinaria. Él era el encargado de ponerla en funcionamiento.

—¿Huelen eso? —preguntó—. Aceite de ballena. Ese mejunje prende por inspiración divina.

—¿Puedes conseguir que funcione? —preguntó Barbanegra, apuntando hacia el artilugio.

Salaman, que era indio, no tenía muy buena opinión acerca del diseño.

—Hecho por los ingleses —ironizó—. Confiemos en nuestra suerte.

Mientras se disponía a manipular el mecanismo, Jack se acercó al borde de la plataforma para tener una mejor perspectiva de la bahía. Angélica se acercó por detrás.

—La luna llena en brazos de la luna nueva —susurró—. La primera del verano. Perfecto para cazar sirenas.

—¿Y eso por qué? —inquirió Jack.

—Es época de apareamiento —respondió ella con sonrisa de tiburón.

Jack movió la cabeza. No envidiaba en absoluto la suerte que les esperaba a algunos de sus compañeros de tripulación.

Justo debajo de ellos se mecía sobre las olas un bote alargado con un grupo expresamente seleccionado de marineros inexpertos, que eran fácilmente reemplazables en el caso de que no sobrevivieran.

Los vigilaba el intendente, Artillero, presto a echar mano de su pistola.

—Estamos condenados —dijo un pirata llamado Ezekiel.

—No estamos perdidos —comentó otro, llamado Derrick—. El día que nos embarcamos derramé un vaso de vino en el muelle. Eso es augurio de buena suerte —recalcó, confiando en que así fuera.

—¡Pero si un marinero se viste con la ropa de un marinero muerto en el mismo viaje, la maldición recaerá sobre todos los miembros de la tripulación!

El resto de los hombres le miraron angustiados y algo desconcertados.

En ese instante se iluminó el faro. El haz de luz recorrió la superficie del agua hasta localizar a los hombres y se detuvo sobre ellos.

—La luz artificial las atrae —explicó Derrick.

—¿A los tiburones? —preguntó el grumete.

—Peor que tiburones —contestó Ezekiel—. En el plazo de una hora nos atacarán las sirenas. Créeme, los tiburones no se atreverán a acercarse.

Derrick sonrió dejando ver su falso diente de oro a la luz del foco.

—He oído que el beso de una sirena puede evitar que un marinero se ahogue, y algunas veces el canto de las sirenas mantiene a los navíos alejados de los bajíos.

—No seas necio —gruñó Ezekiel—. Las sirenas son mujeres y tan encantadoras como flores del paraíso, pero en cuanto pueden agarran a un marinero de un bote o de la misma cubierta del barco y lo arrastran a las profundidades hasta que muere ahogado o devorado.

Este relato sólo sirvió para enturbiar aún más los ánimos en la lancha. Los piratas intentaban desesperadamente encontrar alguna solución a su situación cuando Artillero apuntó con su pistola a Scrum.

—Canta.

—¿Qué? —preguntó Scrum.

—Les gusta escuchar canciones —explicó Artillero.

A pesar de que a Scrum se le daba bien tocar la mandolina, no era un cantante especialmente dotado. La única canción que se sabía era una tonada marinera escrita para ser cantanda por una muchacha.

—*Mi nombre es María, hija de un mercader tacaño* —farfulló con escaso sentido de la musicalidad.

—¡Más alto! —exigió Artillero.

—*Y he abandonado a mis padres y tres mil libras al año.*

Mientras la espantosa balada de Scrum se perdía en la inmensidad, otros botes comenzaron a maniobrar en la oscuridad. Transportaban con sigilo grandes toneles y tripulación.

Artillero apuntó con su pistola a los otros piratas, lo que les convenció definitivamente de que debían sumarse al coro.

—*Mi corazón ha sido atravesado por Cupido. Renuncio a todo el dinero* —entonaron—. *Nada puede consolarme más que mi audaz marinero.*

En ese momento Philip, el misionero, divisó una turbulencia en el agua. Señaló hacia ella y todos pudieron ver a una sonriente y deslumbrante sirena surgir a la superficie frente a la proa de la lancha. Era encantadora, con cabellos dorados y una piel nacarada. Nadó por el costado del bote y reapareció al lado de Scrum.

Era la criatura más bella que ninguno de ellos hubiese visto jamás.

—¿Puedes hablar? —preguntó Scrum, fascinado.

—Sí —contestó ella soltando una risita—. ¿Eres tú el que canta?

—Así es —sonrió Scrum con orgullo.

La sirena le dedicó una radiante sonrisa.

—¿Eres tú mi audaz marinero? —preguntó, repitiendo la estrofa de la canción.

—Ese soy yo —dijo, inclinándose sobre la borda de la chalupa hacia la sirena.

—Scrum, compórtese —advirtió Philip mientras los marineros lo arrastraban al interior de la barca.

—Muchachos, no he gozado de muchos deleites en mi corta y miserable vida —exclamó, liberándose y abalanzándose de nuevo hacia el costado del bote—. ¡Pero os aseguro que todos hablarán de ello, Scrum recibió un beso de una sirena!

La sirena sonrió y comenzó a cantar.

—*Mi corazón ha sido atravesado por Cupido. Renuncio a todo el dinero...*

De repente apareció un grupo de sirenas que rodeó la embarcación, atrayendo cada una de ellas a un pirata diferente.

—*Nada puede consolarme más que mi audaz marinero...* —siguió cantando la primera criatura.

Justo en el momento en que concluía la estrofa Scrum se inclinó para recibir el beso y la sirena se acercó a él. Sin embargo, la criatura emitió un alarido espeluznante y el beso se convirtió en una dentellada, al tiempo que arrastraba al marinero a las profundidades.

El resto de las sirenas se lanzaron al ataque y arrastraron a los demás tripulantes a las aguas oceánicas. Los demás piratas no lo dudaron y se aprestaron a entrar en acción.

—¡Sin piedad! —gritó el sobrecargo hacia las lanchas—. ¡Demostrad vuestro valor!

Los hombres encendieron las mechas de los barriles, que estaban llenos de pólvora, y los arrojaron al mar. *¡BUM!* En cuestión de segundos los toneles empezaron a explotar, provocando chorros de agua que se propulsaban hacia el cielo. *¡BUM!*

Los aullidos de las sirenas se trasformaron en gritos de dolor.

En ese instante, la boca del esqueleto del mascarón de *La Venganza de la Reina Ana* comenzó a escupir fuego y a arrojar llamaradas devastadoras por toda la superficie del agua.

De vuelta en la torre del faro, los piratas contemplaban con pavor el desarrollo del combate.

—¡Recoged ahora! —ordenó Barbanegra, iluminando con su antorcha a ras del agua—. ¡La fiesta ha comenzado!

Los hombres se introdujeron valientemente en el agua y empezaron a recoger las pesadas redes en las que pudiese haber caído alguna sirena.

—¡Un doblón de oro para el que aviste la primera! —exclamó Barbanegra mientras se agitaba sobre el pantalán—. ¡No seáis codiciosos! ¡Solo necesitamos atrapar a una!

Cuando cesaron las explosiones se produjo un silencio sobrecogedor. Todas las criaturas diabólicas se habían sumergido en las profundidades. Mientras

Jack caminaba entre los piratas se sentía cada vez más nervioso. Él ya se había enfrentado con esos seres siniestros con anterioridad y sabía de lo que eran capaces. De improviso, uno de los marinos fue arrastrado al fondo, sin tiempo apenas de tomar una bocanada de aire antes de perderse en la oscuridad de las aguas. No tardó en seguirle otro hombre. Las sirenas estaban atacando desde abajo.

—¡Retirada! —gritó Jack mientras corría por las aguas poco profundas hacia tierra firme—. ¡Por vuestras vidas!

Los piratas emprendieron la huida hacia la orilla, pero allí les esperaba Barbanegra, antorcha en mano, que los arengaba.

—¡Volved al agua! ¡Cobardes! ¡Os juro que no encontraréis refugio en tierra!

Jack siguió retirándose hacia la orilla mientras unas manos de sirena surgían del agua e intentaban agarrarle por los tobillos y los pies.

Cuando alcanzó la playa pudo comprobar que era uno de los pocos que habían conseguido ponerse a salvo. A su espalda la bahía era un hervidero de sirenas peleando contra los piratas, ya en desventaja. Los gritos y aullidos se entremezclaban de forma que era imposible distinguir los unos de los otros.

Lo que era evidente es que las sirenas tenían las de ganar. El propósito de Barbanegra de burlar a la muerte había puesto en peligro a todos los miembros de su tripulación. Aunque Jack no solía ser humanitario, sentía una gran preocupación por el destino de sus compañeros y deseaba socorrerlos. Necesitaba un arma para inclinar la balanza del combate a favor de los piratas, y entonces se acordó del faro.

En la cúspide de la torre había un tanque enorme lleno de aceite de ballena. Según las palabras de Salaman, era una sustancia que prendía «por inspiración divina». Jack se preguntó si podría realizar el milagro.

Subió con presteza los escalones de madera hasta la cima del faro. La llama estaba prendida en la forma debida, consumiéndose poco a poco, lo suficiente para iluminar la torre. Jack desenvainó su espada y dio un mandoble a la válvula, de manera que el aceite empezó a fluir en todas direcciones, inundando la estancia.

El aceite se derramaba a mayor velocidad de lo que Jack había supuesto, así que saltó por la ventana antes de que el líquido alcanzase la llama. El piso superior de la torre estalló en una bola de fuego. Cayó rodando por la playa y se estrelló contra la superficie del agua.

Las sirenas gritaron aterrorizadas, y por un instante pareció que ellas eran las víctimas. El tiempo necesario para que los piratas corriesen hacia la orilla y se pusieran a salvo.

Jack se dejó caer en el suelo mientras seguían escuchándose explosiones.

—Espero que todos hayan visto eso, porque no pienso hacerlo otra vez —dijo.

En verdad, no era necesario que lo repitiese. Las sirenas habían emprendido la retirada y los piratas nadaban hacia su salvación. Lo habían conseguido.

—¡Asistid a las heridas y ved si es posible recuperar alguna! —ordenó Barbanegra mientras caminaba por el desolado escenario de la playa.

Un pirata acudió a auxiliar a un compañero herido y Barbanegra le reprendió.

—¡No a nosotros, estúpido, sino a ellas! —ordenó—. ¡Encontradme una aún con vida!

Entre los restos observó a una criatura herida, pero todavía viva. Había quedado atrapada en un embalse formado por el descenso de la marea y no podía recuperar la libertad.

—¡Hemos atrapado a una! —gritó Barbanegra con una risotada. Varios piratas se aprestaron a amarrarla bien con una de las redes.

Los piratas cargaron con la hermosa pero mortífera criatura, llamada Syrenia, en un cajón lleno de agua para poder trasladarla así hasta la Fuente.

Ahora formaba parte de ese grupo abigarrado y participaba en ese extraño viaje, le gustase o no. Lo más probable es que no estuviera muy conforme.

Capítulo once

La Venganza de la Reina Ana al fin había soltado anclas en una ensenada escondida, a salvo de los españoles, de los británicos y de las sirenas.

Los piratas se habían trasladado a una playa de arena rodeada de una espesa vegetación. Cuatro hombres transportaban el cofre de cristal que tanto había llamado la atención de Jack la primera vez que se despertó en *La Venganza*. Era un acuario - cárcel para una sirena.

Barbanegra se acercó a Jack y le miró amenazante.

—Ahora te toca a ti, Jack —dijo, dejando entrever en su voz que el fracaso no era una opción aceptable.

Jack se encogió de hombros y sacó su brújula. Este instrumento de Jack siempre señalaba en la dirección de aquello que el aventurero más deseaba. Este hecho no tenía explicación racional.

—Lo que quiero encontrar en primer lugar —declaró Jack—. Es el barco de Ponce de León.

La aguja empezó a oscilar y señaló una dirección. Jack sonrió y cerró el utensilio. Indicó al resto del grupo que le siguiese, y emprendieron su periplo por la selva.

Tras medio día de caminata todos se sentían acalorados y agotados. Uno de los hombres que acarreaban el acuario era Scrum, quien, aunque magullado y alterado, había sobrevivido a las sirenas. Le intrigaba tener que transportar con ellos a uno de esos seres.

—¿Por qué tenemos que llevarla? —preguntó.

—Necesitamos lágrimas recién derramadas —explicó Angélica, que se situó al lado de Jack.

—¿Puedes recordarme una vez más el ritual? —inquirió él—. Agua de la Fuente, la lágrima de una sirena...

—Y dos cálices de plata —añadió Angélica—. Uno de ellos para contener la lágrima y el otro vacío.

—¿Así qué la lágrima solo en uno? ¿Y agua en los dos? —preguntó Jack—. Esto se puede complicar.

—Lo repetiré una vez más —replicó Angélica, irritada—. Agua en los dos. La lágrima en uno de ellos. La persona que bebe del cáliz con la lágrima se apropia de todos los años de vida de la otra.

—¿Me lo puedes repetir? ¿Despacio? ¿Necesitas dos cálices? —insistió Jack agitando la cabeza.

Nerviosa, Angélica empezó a hablar en castellano.

En realidad, Jack conocía bien la leyenda. Sabía que no había nada que hacer, a menos que dispusiesen de los cálices de plata del navío de Ponce de León.

Siguió avanzando hasta llegar a un acantilado que se asomaba sobre un río pedregoso. Aún podían apreciarse los restos de un puente destruido. No había forma de cruzar a la otra orilla.

—Lo temía —anunció Jack—. No es por aquí.

Angélica no le creía. Su brújula nunca fallaba.

—Esta es la ruta... ¿No es cierto?

—Podemos dirigirnos hacia el este —propuso Jack.

Angélica movió la cabeza.

—Eso nos apartará del camino hacia los cálices.

Jack no quería reconocer que ella estaba en lo cierto, por lo que propuso una alternativa.

—En ese caso, daremos un rodeo.

—No tenemos tiempo —contestó la mujer.

—Bueno, tú insististe en que trajéramos a la sirena —apuntó Jack.

Ella le miró fijamente.

—El motín no fue de gran ayuda.

Barbanegra se interpuso entre los dos para interrumpir la conversación y subrayar lo evidente.

—Alguien tendrá que bajar —dijo, señalando en dirección al barranco.

—¿Quieres decir, saltar? —preguntó Jack—. Quiero ver quién es el valiente.

—Tú irás —le dijo a Jack mirándolo fijamente—. Encuentra el barco y recupera los cálices.

—¿Jack? —protestó Angélica—. ¿Qué te hace pensar que vaya a regresar?

Jack asintió, estaba de acuerdo, y repitió la frase.

—¿Qué te hace pensar que vaya a regresar?

—No podemos confiar en él —añadió Angélica—. Iré yo.

—Irá ella —afirmó Jack con una sonrisa.

Barbanegra negó con la cabeza.

—¿Cuánto nos falta para llegar a la Fuente?

—Un día de marcha en dirección al norte —contestó Jack con sinceridad—. Hay que seguir el curso del río hasta llegar a una serie de lagunas. Entonces estaremos cerca.

Barbanegra arrebató la brújula a Jack.

—Irá Sparrow—comunicó.

Jack agitó la cabeza.

—¿Conoces ese deseo de saltar que a veces te domina cuando te encuentras en un lugar elevado? Pues yo nunca lo he sentido.

Barbanegra sacó su pistola y la apoyó en la cabeza de Jack.

—¡Necesito esos cálices! —exigió el pirata.

—Dispara —dijo Jack—. Me ahorrará que me rompa la crisma en la caída.

Barbanegra reflexionó unos instantes y giró la pistola para apuntar a Angélica. El rostro de Jack se ensombreció.

—Irás y regresarás —añadió el malvado bandido—. O la mataré a ella.

Jack vio en Angélica una genuina congoja. Sabía que Barbanegra sería capaz de asesinar a su propia hija. Y lo siguiente sería acabar con Jack. Intentó aclarar sus ideas, pero no conseguía vislumbrar un resultado satisfactorio.

El Capitán Jack Sparrow podía ser muchas cosas, pero no valiente. Analizó la situación y decidió que su mejor opción era confiar en la suerte.

Respiró hondo, corrió con todas sus fuerzas y saltó desde el borde del precipicio, gritando asustado durante la caída, hasta que su cuerpo impactó contra las aguas.

Milagrosamente, volvió a aparecer en la superficie, respirando aún. No podía creer que todavía estuviese vivo, pero esa era la realidad.

—Otra vez empapado —se dijo a sí mismo, riendo entre dientes, mientras braceaba hacia la ribera del río.

Jack avanzó en la dirección que le había marcado la brújula. Siguió el curso de la corriente, atravesando la jungla y, tras unas horas de caminata, llegó a una playa bajo un acantilado. Allí, colgando del precipicio, halló los restos del naufragio de una carabela española.

Jack la identificó desde el primer momento.

—El *Santiago* —pronunció en voz alta, como si hubiese alguien a su lado—. Célebremente comandado por Ponce de León.

En la cara de Jack se dibujó aquella sonrisa que tantas veces le había sacado de apuros. Tenía que recuperar los cálices y llegar hasta la Fuente, pero esos, para Jack, eran inconvenientes menores. El mito de la Fuente de la Juventud ya no era una leyenda. Se había convertido en una realidad. El buque era real y los cálices se hallaban a bordo. Barbanegra y sus hombres habían capturado una sirena y la transportaban hasta la Fuente. Eso significaba que Jack dispondría de todo lo necesario para realizar el ritual y liberar así el poder de la Fuente.

Pero no era ese el único pensamiento que ocupaba la mente de Jack. Tenía una motivación más importante que la vida eterna. Se trataba de Angélica, la única mujer a la que quizá hubiese amado. Años atrás la había abandonado y le había partido el corazón. Ahora se le presentaba la ocasión de salvarla de las garras del perverso Barbanegra. Por otro lado, no podía olvidarse del propio Barbanegra, que no había dudado en poner en peligro a su propia tripulación para su beneficio personal. Jack tenía que hacer algo con él, aunque fuese a costa de su propia vida.

—Los hombres muertos no cuentan cuentos.

Era la advertencia que los piratas hacían a los que surcaban los mares. Pero Sparrow había demostrado que no era del todo cierto. Había sido capturado por un Rey, condenado a la horca, obligado a navegar en el barco de Barbanegra, arrojado a un mar de sirenas e, incluso, había saltado desde un barranco que hubiese supuesto la muerte segura para cualquier otro.

Y allí estaba, dispuesto a emprender la mayor aventura. Estaba preparado para enfrentarse aBarbanegra en el intento por rescatar a Angélica y beber después de la Fuente de la Juventud. Imaginad las aventuras que podría relatar un hombre que hubiese bebido de aquellas aguas de la inmortalidad.

La sonrisa fue haciéndose cada vez más amplia a medida que consideraba las infinitas posibilidades. Jack Sparrow estaba listo para responder a la llamada, aunque eso supusiese navegar en mareas misteriosas...